The Beginner's English/Spanish
DICTIONARY
DICCIONARIO
Español/Inglés para principiantes

Archie Bennett and Marta Gutiérrez
Illustrated by Nancy Sears

I

PROTEUS enterprises, inc.

INTRODUCTION

This book will serve as a great help to those who are learning English **or** Spanish. Over 2,900 words are defined by the use of examples; more than 800 of these are also illustrated in full color. You will find the word you are looking for explained in both English and Spanish. If you are looking for a Spanish word you will find it more quickly by referring to the section that begins on page 481. As an added help, irregular verb forms and noun plurals are included when necessary.

INTRODUCCION

Este libro será de gran ayuda a aquellos que están aprendiendo lo mismo inglés que español. Más de 2,900 palabras están definidas con ejemplos; más de 800 de éstas también están ilustradas a colores. Encontrará la palabra que busca definida en inglés y en español. Si busca una palabra en español, la encontrará más rápidamente si la busca en la sección que comienza en la página 481. Como ayuda adicional, las formas irregulares de verbos y nombres plurales están incluídas cuando es necesario.

a   Ted has **a** toy. I saw **a** bird.

un (a)   Eduardo tiene **un** jugete. Yo ví **un** pájaro.

---

able   My older sister is **able** to play the piano.
She **can play** the piano.

capaz   Mi hermana mayor es **capaz** de tocar el piano.
Ella **puede tocar** el piano.

---

about (1)   Jane told a story **about** the ship.

sobre   Juana hizo un cuento **sobre** el barco.

---

about (2)   It is **about** two o'clock.

alrededor   Son **alrededor** de las dos horas.

A

above

Above means **over**.
Jack hung a picture **above** his desk.

encima

Encima quiere decir **sobre**.
Juan colgó un cuadro **encima** de su escritorio.

---

absent

John was **absent** from school today.
John was **not at** school today.

ausente

Juan estuvo hoy **ausente** de la escuela.
Juan **no estuvo en** la escuela hoy.

---

accident

I spilled milk on the floor.
It was an **accident**.
It **did not happen on purpose.**

accidente

Derramé la leche en el suelo.
Fué un **accidente**.
No sucedió a propósito.

ache

The baby has a stomach **ache.**
The baby has a **pain** in his stomach.
The baby is sick.

dolor

El bebé tiene **dolor** de estómago.
El bebé tiene un **dolor** en el estómago.
El bebé está enfermo.

---

acorn

An **acorn** is the seed of an oak tree.

bellota

La **bellota** es el fruto del roble.

---

across

Jim threw the ball **across** the street.
He threw the ball to the **other side** of
the street.

a través

Jaime lanzó la pelota **a través** de la calle.
El lanzó la pelota **al otro lado** de la calle.

A

act
The teacher told the children to **act** well.

actuar
La maestra pidió a los niños que **actuaran** bien.

---

add
If you have one pencil and **add** one more pencil, you have two pencils.
To **add** is to **put together.**
This sign + means to **add** or **put together.**

añadir
Si tienes un lápiz y **añades** otro, tienes dos lápices.
Añadir es **sumar.**
Este signo + quiere decir **añadir** o **sumar.**

---

address
Your **address** is where you live.
Your house number, your street, your city and your state is your **address.**

dirección
Tu **dirección** es donde tú vives.
El número de tu casa, el nombre de tu calle, el d
tu ciudad y el de tu estado forman tu **dirección.**

---

admire
I **admire** the landscape.
I **like** the landscape.
The landscape is beautiful.

admirar
Admiro el paisaje.
Me gusta el paisaje.
El paisaje es hermoso.

admission
Jack and Ted have **admission** to the ballgame.

entrada

Juan y Tedoro tienen **entrada** al juego.

---

advice
I made a house for my bird.
My friend gave me some good **advice**.
He **told me how** to make it.

consejo
Hice una casita para mi pájaro.
Mi amigo me dió algunos buenos **consejos**.
Me dijo como hacerla.

The cat ran **after** the mouse.

after (1)
detrás

El gato corrió **detrás** del rátón.

A

after (2)

I came **after** you did.
I came **later** than you did.

después

Vine **después** de tí.
Vine **más tarde** que tú.

---

again

The girl rode the pony **again**.
The girl rode the pony **one more time**.

otra vez

La niña montó su caballito **otra vez**.
La niña montó su caballito **una vez más**.

---

against

My bike leans **against** the tree.
My bike **touches** the tree.
We played **against** each other in the football game.
We played on **different sides** in the football game.

contra

Mi bicicleta se apoya **contra** el árbol.
Mi bicicleta **toca** al árbol.
Jugamos unos **contra** los otros en el partido de fútbol.
Jugamos fútbol en **equipos contrarios**.

age
What is your **age?**
How old are you?
How many years have you lived?

edad
¿Cuál es tu **edad?**
¿Cuántos años tienes?
¿Cuántos años has vivido?

---

agree
Sam and Harry **agree.**
Sam and Harry **think alike.**

concordar
Samuel y Enrique **concuerdan.**
Samuel y Enrique **piensan lo mismo.**

---

ahead
The girl is **ahead** of the boy.
The girl is **in front** of the boy.

delante
La muchacha está **delante** del muchacho.
La muchacha está **en frente** del muchacho.

---

aim
Jimmy **aimed** his arrow at the tree.

apuntar
Jaimito **apuntó** su flecha al árbol.

A

air

Air is what we breathe.
We cannot see **air** but when the wind blows we feel it.

We blow **air** into balloons.

aire

Aire es lo que respiramos.
No podemos ver el **aire** pero cuando el viento sopla lo sentimos.

Inflamos globos con **aire**.

---

airplane

An **airplane** is a machine that flies through the air.
There are many different kinds of **airplanes**.
This is one kind of **airplane**.

avión

El **avión** es una máquina que vuela por el aire.
Hay muchas clases diferentes de **aviones**.
Esta es una clase de **avión**.

---

airport

An **airport** is a place where airplanes take off and land.

aeropuerto

El **aeropuerto** es el lugar donde los aviones despegan y aterrizan.

alarm

A fire **alarm** makes a loud **noise**.
The **alarm** warns firemen that there is a fire somewhere.

The bell on our **alarm** clock rings to **signal** us that it is time to get up.

alarma

La **alarma** de fuego hace mucho **ruido**.
La **alarma** le avisa a los bomberos que hay fuego en alguna parte.
La **alarma** de nuestro despertador nos **avisa** que es hora de levantarnos.

---

alive

The car hit the dog but the dog is still **alive**.
The dog is **not dead**.

vivo(a)

El auto golpeó al perro pero él aún está **vivo**.
El perro **no** está **muerto**.

---

allow

My mother will **allow** me to watch television.
My mother will **let** me watch television.

permitir

Mi madre me **permite** ver la televisión.
Mi madre me **deja** ver la televisión.

---

almost

It is **almost** time to go to bed.
It is **nearly** time to go to bed.

casi

Es **casi** la hora de ir a la cama.
Se **acerca** la hora de ir a la cama.

along

The boy is walking **along** the road.

a lo largo

El niño camina **a lo largo** de la carretera.

---

already

Caroline has learned to play the flute **already**.
Caroline has learned to play the flute **before this time.**

ya

Carolina **ya** aprendió a tocar la flauta.
Carolina aprendió a tocar la flauta **desde antes.**

---

also

Harry has a pair of skates.
I have a pair of skates **also.**

también

Enrique tiene un par de patines.
Yo tengo un par de patines **también.**

always

Mary is **always** good to her dog.
Mary is good to her dog **at all times.**

John **always** wins the race.
John wins the race **every time.**

siempre

María es **siempre** buena con su perro.
María es buena con su perro **en todo momento.**
Juan gana la carrera **siempre.**
Juan gana la carrera **todas las veces.**

---

among

Ted is **among** the boys going to school.
Ted is **in the group** of boys going to school.

entre

Teodoro está **entre** los muchachos que van a
la escuela.
Teodoro está **en el grupo** de muchachos que va
a la escuela.

---

ancient

The castle is **ancient.**
The castle is **very old.**

antiguo

El castillo es **antiguo.**
El castillo es **muy viejo.**

angry
angrier
angriest

I wanted to visit my friend.
My mother would not let me go.
That is why I'm **angry.**

enojado

Quise visitar a mi amiga.
Mi madre no me dejó.
Es por eso que estoy **enojado.**

---

animal

Anything that lives and is not a plant is an **animal.**
A cow is an **animal.**
A fish is an **animal.**
A person is an **animal.**

animal

Todo lo que vive y no es una planta es un
animal.
Una vaca es un **animal.**
El pez es un **animal.**
Una persona es un **animal.**

---

annual

We are planning to have an **annual** school play.
We are planning to have a school play **each year.**
Annual means something that happens **every year.**

anual

Estamos planeando presentar una obra teatral
anual en la escuela.
Estamos planeando tener una obra teatral **cada
año** en la escuela.
Anual es algo que sucede **todos los años.**

another

I drew a picture of the tree.
Freddie drew **another** picture of the tree.

I want **another** kind of cookie.
I want a **different** kind of cookie.

otro (a)

Hice un dibujo del árbol.
Alfredito hizo **otro** dibujo del árbol.
Quiero **otra** clase de galleticas.
Quiero una clase **diferente** de galleticas.

---

answer

My mother called to Ann but she did not **answer**.
When the telephone rings I will **answer** it.
I will pick it up and **speak into it**.

contestar

Mi madre llamó a Ana pero ella no **contestó**.
Cuando el teléfono suene lo **contestaré**.
Debo descolgarlo y **hablar por él**.

---

ant
An **ant** is an insect.

hormiga
La **hormiga** es un insecto.

A

any

You may have **any** piece of candy in the box.
You may have **one piece of candy that you choose.**

cualquier

Puedes coger **cualquier** caramelo de la caja.
Puedes coger **el caramelo que tu quieras.**

---

apart

Tom sat **apart** from the other children.
Tom sat **away** from the other children.

aparte

Tomás se sentó **aparte** de los otros niños.
Tomás se sentó **lejos** de los otros niños.

---

ape
orangután

An **ape** is a kind of monkey.

Un **orangután** es una clase de mono.

---

appear

At night the moon will **appear** in the sky.
At night the moon will **come out** in the sky.

When I turn the television on a picture will **appear.**

aparecer

La luna **aparecerá** en el cielo por la noche.
La luna **saldrá** en el cielo por la noche.
Cuando encienda la televisión una imagen
aparecerá.

apple

An **apple** is a kind of fruit.
An **apple** is good to eat.

manzana

La **manzana** es una clase de fruta.
La **manzana** es buena para comer.

April

April is the fourth month of the year.

abril

Abril es el cuarto mes del año.

---

apron

An **apron** is a piece of cloth worn in front to keep
our clothes clean.

delantal

Un **delantal** es una prenda de vestir que se
lleva al frente para que nuestras ropas no se
ensucien.

A

aquarium

I keep my fish in an **aquarium.**
I keep my fish in a **bowl of water.**

acuario

Tengo mis peces en un **acuario.**
Tengo mis peces en una **vasija llena de agua.**

---

arm

Charles hurt his **arm.**
His whole **arm** hurts from his shoulder to his fingers.

brazo

Carlos se lastimó el **brazo.**
Todo el **brazo** le duele desde el hombro hasta los dedos.

---

around

My father wears a tie **around** his neck.
He wears a tie that **circles** his neck.

The dog ran **around** the cat.

alrededor

Mi padre usa una corbata **alrededor** del cuello.
El usa una corbata que **le da la vuelta** al cuello.
El perro corrió **alrededor** del gato.

arrive

I **arrive** at school early every day.

llegar

Llego a la escuela temprano todos los días.

---

art

Judy draws pictures in **art** class.
Painting and sculpture are kinds of **art.**
Sewing, like music, is an **art.**

arte

Julia dibuja en la clase de **arte.**
La pintura y la escultura son formas de **arte.**
La costura, al igual que la música, es un **arte.**

---

ashamed

Yesterday I acted badly.
Afterwards I felt **ashamed.**

avergonzado (a)

Ayer actué mal.
Después me sentí **avergonzado.**

---

ask

When you want something from someone you **ask** for it.

pedir

Cuando quieres algo de alguien, lo **pides.**

A

asleep

The baby is **asleep** in her bed.
The baby is **not awake.**

dormido (a)

El bebé está **dormido** en su cama.
El bebé **no está despierto.**

---

aunt

My mother's sister is my **aunt.**
My father's sister is my **aunt.**
My uncle's wife is my **aunt,** too.

tía

La hermana de mi madre es mi **tía.**
La hermana de mi padre es mi **tía.**
La esposa de mi tío es mi **tía** también.

---

autumn

leaf
leaves

A year is divided into four seasons.
Autumn is the season between summer and winter.
The leaves on some trees turn yellow and fall to the ground in **autumn.**

otoño

El año está dividido en cuatro estaciones.
El **otoño** es la estación que está entre el verano y el invierno.
Las hojas de algunos árboles se ponen amarillas y caen a la tierra en el **otoño.**

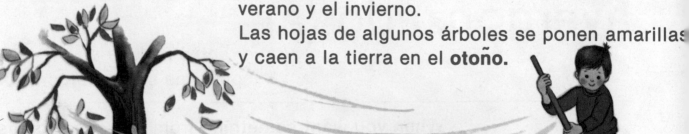

awake

The baby is **awake**.
The baby is **not sleeping**.

despierto (a)

El bebé está **despierto**.
El bebé **no está durmiendo**.

---

ax
axes

An **ax** is used for cutting down trees.
This is an **ax**.

hacha

El **hacha** es usada para cortar árboles.
Esta es un **hacha**.

B

baby
babies

A **baby** is a very young child.
Our **baby** cannot walk yet.
He is asleep.

bebé

Un **bebé** es un niño muy pequeño.
Nuestro **bebé** no puede caminar todavía.
Está durmiendo.

---

bad
worse
worst

Fred is a good boy.
He is **not** a **bad** boy.
Something **bad** is **not good.**

malo (a)

Federico es un buen muchacho.
El no es un muchacho **malo.**
Malo es algo que **no es bueno.**

---

bag

A **bag** is used to carry things in.
A **bag** is usually made of paper or cloth.
Mother carried a hand**bag.**

La **bolsa** se usa para llevar cosas.
La **bolsa** usualmente se hace de papel o de tela.
Mi madre lleva una **bolsa** de mano.

bolsa

bake

Mother put a cake in the oven to **bake**.
She put the cake in the oven to **cook**.

hornear

Mi mamá **hornea** un pastel.
Ella puso el pastel a **cocinar** en el horno.

---

ball

The cat plays with a **ball**.
The **ball** will bounce and roll.

pelota

El gato juega con la **pelota**.
La **pelota** rebotará y rodará.

---

ballerina

A **ballerina** dances in the ballet.
She dances on her toes quite often.

bailarina

La **bailarina** danza baile clásico.
Ella baila mucho sobre la punta de sus pies.

B

balloon

Maria has a balloon.
She blew it up with air.
The air in the balloon keeps it inflated.

globo

María tiene un globo.
Ella lo infló.
El aire mantiene al globo inflado.

band

Harry and the other children play music in a band.
Harry plays the drums.

banda

Enrique y los otros muchachos tocan música en una banda.
Enrique toca la batería.

bank

A bank is a place in which we keep money.

banco

Un banco es el lugar donde guardamos el dinero.

bar

Cages are made with strong metal **bars** so that the animals cannot get out.

barra

Las jaulas están hechas de **barras** de metal fuerte para que los animales no puedan salir.

---

bare
barer
barest

When we go without shoes and socks our feet are **bare.**

desnudo (a)

Cuando andamos sin zapatos y sin calcetines nuestros pies están **desnudos.**

---

bark (1)

Our dog likes to **bark** at the cat.
He tries to scare the cat with his **bark.**

ladrar

A nuestro perro le gusta **ladrarle** al gato.
El trata de asustar al gato con sus **ladridos.**

B

bark (2)

Bark is the covering of a tree trunk.

corteza

La cubierta del tronco del árbol es la **corteza**.

---

barn

A farmer keeps his horses in a **barn**.

establo

El campesino pone sus caballos en el **establo**.

---

barrel

We use a **barrel** to pack food and other things in.
This is a **barrel**.

Usamos un **barril** para poner alimentos y otras cosas.
Este es un **barril**.

barril

baseball

John likes to play **baseball.**
There are nine players on John's **baseball** team.

béisbol

A Juan le gusta jugar al **béisbol.**
Hay nueve jugadores en el equipo de **béisbol** de Juan.

bat

A small animal that flies around at night is a **bat.**
It looks like a mouse with wings.

murciélago

Un animalito que vuela por los alrededores en la noche es un **murciélago.**
Luce como un ratón con alas.

bath

I help Mother give my baby sister a **bath.**
We bathe the baby all over her body to keep her clean.

Yo ayudo a mi madre dar un **baño** a mi hermanita.
Nosotros mantenemos a la niña limpia bañándola.

baño

B

bathtub

The **bathtub** is where we take a bath.
Sometimes I take a toy boat in the **bathtub** with me.

bañadera

La **bañadera** es donde tomamos el baño.
Algunas veces yo llevo un bote de juguete a la **bañadera** conmigo

---

beads

My mother has a string of **beads**.
A **bead** is a small, usually round piece of glass, wood or metal.

cuentas

Mi madre tiene un collar de cuentas.
Una **cuenta** es una piecesita de cristal, madera o metal, usualmente redonda.

---

beans

Beans are a vegetable.
There are several kinds of **beans**.
Beans are good to eat.

frijoles

El **frijol** es un vegetal.
Hay varias clases de **frijoles**.
Los **frijoles** son buenos para comer.

bear

A **bear** is a large, shaggy animal with a short tail.
Bears are brown, black or white.

oso

El **oso** es un animal grande, peludo y con un rabo corto.
Los **osos** son de color castaño, negros o blancos.

---

beat
beats
beating
beat
beaten

When I play the drum I **beat** it with drumsticks.
When I play the drum I **hit** it with drumsticks.

golpear

Cuando toco el tambor lo **golpeo** con baquetas.
Cuando yo toco el tambor le **pego** con baquetas.

---

beautiful

The snow is **beautiful**.
The snow is **very nice to look at**.
Beautiful music is **very nice to hear**.

hermoso (a)

La nieve es **hermosa**.
Es **muy agradable mirar** la nieve.
Es **muy agradable oír** la música **hermosa**.

B

bed
cama

We sleep in a **bed.**

Dormimos en la **cama.**

bee

A **bee** is a black and yellow **bug** that flies.
Bees make honey.

abeja

La **abeja** es un **insecto** negro y amarillo que vuela.
Las **abejas** hacen miel.

beg

The teacher said "I **beg** you to be quiet."
The teacher said "I **ask** you to be quiet."

rogar

El maestro dijo: "Les **ruego** que estén quietos."
El maestro dijo: "Les **pido** que estén tranquilos."

begin
begins
beginning
began
begun

Now let us **begin** to sing.
Now let us **start** to sing.

comenzar

Ahora, **comencemos** a cantar.
Ahora, **empecemos** a cantar.

behind

Billy sits **behind** me in school.

detrás

Guillermito se sienta **detrás** de mí en la escuela.

---

believe

I do not **believe** it will rain.
I do not **think** it will rain.

creer

No **creo** que llueva.
No **pienso** que lloverá.

---

bell

The **bell** rings.
Some **bells** go bong, bong.

campana

La **campana** suena.
Algunas **companas** suenan "bong, bong."

belong

Who does this coat **belong** to?
Who **owns** this coat?

pertenecer

¿A quién le **pertenece** este abrigo?
¿**De quién es** este abrigo?

---

belt

Tommy wears a **belt** to hold up his trousers.
He wears the **belt** around his waist.

cinturón

Tomasito usa un **cinturón** para ajustarse los pantalones.
Usa el **cinturón** alrededor de la cintura.

---

bend
bends
bending
bent
bent

I can **bend** a wire.
I can **bend** and touch the ground
with my fingers.

doblar

Puedo **doblar** un alambre.
Puedo **doblarme** y tocar la tierra con los dedos.

beneath

The desk is **beneath** the lamp.
The desk is **below** the lamp.

debajo

El escritorio está **debajo** de la lámpara.
El escritorio está **bajo** la lámpara.

---

berry
berries

A **berry** is a small, sweet fruit.

baya

La **baya** es una fruta pequeña y dulce.

---

beside

Jane sat **beside** me.
She sat **next to** me.

al lado

Juana se me sentó **al lado.**
Se sentó **a mi lado.**

B

between

Jill walks **between** her friends.
She walks in the **middle** with a friend on each side.

entre

Julieta camina **entre** dos amigas.
Ella va en el **medio** con una amiga a cada lado.

---

beyond

Beyond the trees is a mountain.
The mountain is **farther away** than the trees.

más allá

Más allá de los árboles hay una montaña.
La montaña está **más lejos** que los árboles.

---

big
bigger
biggest

My older brother is **big.**
My older brother is **not small.**

grande

Mi hermano mayor es **grande.**
Mi hermano mayor no es **pequeño.**

bill   Father paid our food **bill.**

cuenta   Mi padre pagó la **cuenta** de los comestibles.

---

biography
biographies

Our teacher read the **biography** of George Washington.
Our teacher read the **life story** of George Washington.

biografía   Nuestra maestra nos leyó la **biografía** de Jorge Washington.
Nuestra maestra nos leyó la **historia de la vida** de Jorge Washington.

---

bird   A **bird** has two wings, feathers and a bill.
There are many different kinds of **birds.**

pájaro   Un **pájaro** tiene dos alas, plumas y un pico.
Hay muchas clases diferentes de **pájaros.**

B

birthday

Today is Tommy's seventh **birthday**.
Tommy was born seven years ago today.

cumpleaños

Tomasito tiene siete años y hoy es su **cumpleaños**.
Hace siete años que nació Tomasito.

---

bite
bites
biting
bit
bitten

This dog will not **bite** you.
This dog will not **cut** you **with his teeth**.

morder

Este perro no te **morderá**.
Este perro no te **lastimará con sus dientes**.

---

bitter

Mary took her medicine and it tasted **bitter**.
The medicine **did not taste sweet**.

amargo (a)

María probó su medicina y sabía **amarga**.
La medicina **no sabía dulce**.

blackboard

I like to write on the **blackboard** with chalk.
The **blackboard** is black.

pizarra

Me gusta escribir en la **pizarra** con tiza.
La **pizarra** es negra.

---

blame

Do you **blame** me because you spilled the milk?
Do you **think it was my fault** that you spilled the milk?

culpar

¿Me **culpas** porque derramaste la leche?
¿Piensas que fué por culpa mia que derramaste la leche?

---

blind
ciego (a)

The man is **blind.**
The man **cannot see.**

El hombre es **ciego.**
El hombre **no puede ver.**

B

blister

I burned my finger and a **blister** appeared.
I burned my finger and a **small swelling** appeared.

ampolla

Me quemé el dedo y me salió una **ampolla**.
Me quemé el dedo y se me apareció una **inflamación pequeña**.

blizzard

The snow came down and the wind blew very hard.
We had a **blizzard**.
We had a **big snowstorm**.

ventisca

Nevaba y el viento soplaba muy fuerte.
Tuvimos una **ventisca**.
Tuvimos una **tormenta de nieve** muy grande.

block

I have a set of **blocks**.

tarugo

Tengo un juego de tarugos.

blood

I cut my finger.
Red **blood** came out.
Our heart makes **blood** move throughout our body.

sangre

Me corté el dedo.
Me salió **sangre** roja.
Nuestro corazón hace que la **sangre** circule
por nuestro cuerpo.

---

blow
blows
blowing
blew
blown

I will **blow** the candles out.
I like to **blow** the whistle.
Sometimes I can hear the wind **blow**.

soplar

Soplaré y apagaré las velas.
Me gusta **soplar** el silbato.
A veces puedo oír como **sopla** el viento.

---

blue
bluer
bluest

Blue is a color.
Tom has a **blue** suit.
Tom also has a **blue** shirt.
The sky is **blue**.

El **azul** es un color.
Tomás tiene un traje **azul**.
Tomás tiene una camisa **azul** también.
El cielo es **azul**.

azul

B

board

A **board** is a flat piece of wood cut from a log.
We use wide **boards** to make a box.

tabla

Una **tabla** es una pieza de madera plana que se ha sacado de un tronco.
Usamos **tablas** anchas para hacer cajas.

---

boast
jactarse

Some people like to **boast**.

A algunos les gusta **jactarse**.

---

boat

A **boat** floats on the water.
I like to ride on a **boat**.
A large **boat** is called a ship.

bote

El **bote** flota sobre el agua.
Me gusta pasear en **bote**.
Un **bote** grande es un barco.

---

body
bodies

I try to keep a healthy **body**.
All the parts of a person or animal are its **body**.

Trato de mantener mi **cuerpo** sano.
Todas las partes de una persona o animal forman su **cuerpo**.

cuerpo

bone
hueso

The dog likes to chew on a **bone.**
It keeps his teeth strong and healthy.
We have **bones** throughout our bodies.
Al perro le gusta mascar el **hueso.**
Le ayuda a mantener sus dientes sanos y fuertes.
Tenemos **huesos** en el cuerpo.

book
libro

I like to read this **book.**
This **book** has pretty pictures and tells me about words.
Me gusta leer este **libro.**
Este **libro** tiene ilustraciones bonitas y me enseña palabras.

boot
bota

A **boot** is higher than a shoe.
A **boot** is usually made of rubber or leather.
I wear **boots** when it snows to keep my feet warm and dry.

Una **bota** es más alta que un zapato.
La **bota** usualmente se hace de caucho o de piel.
Uso **botas** cuando nieva para mantener mis pies abrigados y secos.

born
nacer

The baby puppies were **born** today.
The baby puppies were **brought into the world to-day.**
Los perritos **nacieron** hoy.
Los perritos **llegaron al mundo** hoy.

both
ambos (as)

Lucy has lost **both** her mittens.
Lucy has lost her **two** mittens.
Lucía perdió **ambos** mitones.
Lucía perdió sus **dos** mitones.

bother

Ann lost her pencil.
She did not **bother** to look for it.

molestar

Ana perdió su lápiz.
No se **molestó** en buscarlo.

---

bottle

A **bottle** is usually made of glass and holds liquid.
Mother bought a big **bottle** of soda.

botella

Una **botella** casi siempre es de vidrio y contiene líquido.
Mamá compró una **botella** grande de refresco.

---

bottom

The lowest part of something is often called the **bottom.**
There is water at the **bottom** of the well.

fondo

La parte más baja de algo muchas veces se llama el **fondo.**
Hay agua en el **fondo** del pozo.

bounce

I like to see the ball **bounce**.
I like to see the ball hit the ground and **jump** back.

rebotar

Me gusta ver como **rebota** la pelota.
Me gusta ver como la pelota cae al suelo y vuelve a **saltar.**

---

bow

Jack has a **bow** and arrow.

arco

Juan tiene un **arco** y una flecha.

---

bowl

The kitten eats from a **bowl**.
I eat soup from a **bowl**.
A bowl is a **deep, round dish.**

vasija

El gatito come en una **vasija.**
Yo tomo sopa en una **vasija.**
Una **vasija** es un **plato hondo y redondo.**

B

box
boxes

My breakfast cereal comes in a **box**.
My father's new hat was in a **box**.

caja

El cereal para mi desayuno viene en una **caja**.
El sombrero nuevo de mi padre estaba en una **ca-ja**.

---

boy

Frank is a **boy**.
He will grow up to be a man.
Frank's sister is a girl.
She will grow up to be a woman.

niño

Francisco es un **niño**.
Él crecerá y se hará un hombre.
La hermana de Francisco es una niña.
Ella crecerá y se hará una mujer.

---

braggart

A **braggart** is a person who likes to brag.

jactancioso

Un **jactancioso** es una persona
a quien le gusta jactarse.

brave
braver
bravest

The policeman is **brave**.
The policeman is **not afraid**.

valiente

El policía es **valiente**.
El policía **no tiene miedo**.

---

bread

Bread usually comes in a loaf.
It is made of flour and other things.
A roll is **bread,** too.

pan

El **pan** casi siempre viene en hogazas.
Se hace de harina y otras cosas.
Un panecillo es un **pan** también.

---

break

breaks
breaking
broke
broken

Did you **break** the dish?

romper

¿**Rompió** usted el plato?

43

B

breath
aliento

Your **breath** is the air you take in and let out.

El **aliento** es el aire que respiras y luego sueltas.

---

breathe
respirar

You should **breathe** through your nose.

Respiras por la nariz.

---

breeze
brisa

A **breeze** is blowing through the trees.

La **brisa** sopla entre los árboles.

---

bridge

A **bridge** is over the river.
We walk across a small **bridge.**
We ride across a large **bridge.**
Bridges are used to cross over something.

puente

El **puente** está sobre el río.
Caminamos por el **puente** pequeño.
Cruzamos un **puente** grande en automóvil.
Los **puentes** se usan para atravesar algo.

bright I think Tommy is very **bright.**

inteligente Yo pienso que Tomás es muy **inteligente.**

---

bring The postman will **bring** mail to our house.

traer El cartero **traerá** el correo a nuestra casa.

---

brook We like to fish in the **brook.**
We like to fish in **a small stream of water.**

arroyo Nos gusta pescar en el **arroyo.**
Nos gusta pescar en una **pequeña corriente de agua.**

---

brother John is Jane's **brother.**
They have the same mother and father.
A boy that has same parents as you do
is your **brother.**
Jane is John's sister.

hermano Juan es **hermano** de Juana.
Tienen el mismo padre y la misma madre.
El niño que tiene los mismos padres que tú, es tu
hermano.
Juana es hermana de Juan.

B

bucket
cubo

I filled the **bucket** with sand.
I filled the **pail** with sand.

Yo llené el **cubo** de arena.
Yo llené la **cubeta** de arena.

---

bud
botón

A **bud** is the beginning of a flower.
When the **bud** opens it will be a flower.

Un **botón** es el comienzo de una flor.
Cuando el **botón** abra será una flor.

---

build

Jim is planning to **build** a clubhouse.
Jim is planning to **put together** a clubhouse.
Birds **build** nests.

Jaime está planeando **construir** una casa club.
Jaime está planeando **fabricar** una casa club.

construir
Los pájaros **construyen** sus nidos.

bulb
Mother planted a lily **bulb**.

bulbo
Mi madre plantó un **bulbo** de lilas.

---

bulb
Before I read I turn on the light **bulb**.

bombilla
Antes de leer yo enciendo la **bombilla**.

---

bulldozer

A **bulldozer** is a tractor with
a big blade in front
which pushes dirt and other things.
This is a **bulldozer**.

niveladora
Una **niveladora** en un tractor con una gran pala al frente con la cual empuja tierra y otras cosas. Esta es una **niveladora**.

B

bunch

I ate part of a **bunch** of grapes.

racimo

Nos comimos parte de un **racimo** de uvas.

---

bunny
bunnies

We call a **baby rabbit** a **bunny.**

conejito

Un **conejo pequeño** es un **conejito.**

---

burn

I saw a house **burn** down.
If you touch a hot stove it will **burn** you.

quemar

Vi que una casa se **quemaba.**
Si tocas una estufa caliente, te **quemarás.**

bury

Dogs **bury** bones in the ground.
When we put something in the ground
and cover it over with earth
we **bury** something.

enterrar

Los perros **entierran** huesos.
Cuando ponemos algo en la tierra y lo cubrimos
con ella, **enterramos** algo.

---

bus

A **bus** is larger than an automobile.
Many people ride in a **bus.**
I ride a school **bus** to school.

ómnibus

Un **ómnibus** es mayor que un automóvil.
Muchas personas viajan en **ómnibus.**
Yo voy a clases en el **ómnibus** de la escuela.

---

bush
bushes

A **bush** has branches and leaves
but it is smaller than a tree.
Roses grow on a **bush.**

Un **arbusto** tiene ramas y hojas pero es más
pequeño que un árbol.
Un rosal es un **arbusto.**

arbusto

B

busy
busier
busiest

Mother is **busy.** She is **at work.** She is cooking dinner.

ocupado (a)

Mamá está **ocupada.** Está **trabjando.** Cocina la cena.

---

butter

Butter is made from cream.
Bread and **butter** are good to eat.

mantequilla

La **mantequilla** se hace de la crema.
Qué bueno es comer pan con **mantequilla.**

---

butterfly
butterflies

A **butterfly** is an insect. It has four beautiful wings and a tiny body.

mariposa

La **mariposa** es un insecto. Tiene cuatro lindas alas y un cuerpecito pequeño.

---

button

Can you **button** your coat?
Can you **fasten** your coat together with the **buttons?**

abotonarse

¿Puedes **abotonarte** el abrigo?
¿Puedes **cerrarte** el abrigo **con los botones?**

buy

When we go to the store we **buy** things.
We **give money** and **get something** for it.

comprar

Compramos cosas cuando vamos a la tienda.
Damos dinero y **recibimos algo** a cambio.

---

buzzard

A **buzzard** is a large bird.
A **buzzard** is heavy and flies slowly.

ratonero

El **ratonero** es un ave grande.
El **ratonero** es pesado y vuela despacio.

---

buzz

The sound that a fly or bee makes is a **buzz**.

zumbido

El ruido que hacen las moscas y las abejas se llama **zumbido**.

C

cage

A **cage** is a place to keep wild animals.

jaula

La **jaula** es un lugar para guadar animales salvajes.

---

cake

My mother made a **cake.**

torta

Mi madre hizo una **torta.**

---

calf
calves

A **calf** is a baby cow.

ternera

Una **ternera** es una vaca pequeña.

call

My name is William but friends **call** me Bill.

I like to **call** my friends.
I like to **telephone** my friends.

Mother will **call,** "Bill, it is time to wake up."
Mother will **say loudly,** "Bill, it is time to wake up."

llamar

Mi nombre es Guillermo, pero mis amigos me **llaman** Guille.
Me gusta **llamar** a mis amigos.
Me gusta **telefonear** a mis amigos.
Mi madre me **llamará:** "Guille, es hora que despiertes.".
Mi madre **dirá alto:** "Guille, es hora que despiertes."

---

camp

We like to go to the woods and **camp** in a tent.
We like to go to the woods and **live** in a tent.

acampar

Nos gusta ir al campo y **acampar** en una tienda.
Nos gusta ir al campo y **vivir** en una tienda.

---

capable

My mother asked if I was **capable** of taking care of my baby sister.

capaz

Mi madre me preguntó si estoy **capaz** de cuidar a mi hermanita.

C

can

I **can** tie my shoelaces.
I **am able** to tie my shoelaces.

poder

Puedo atarme los cordones de los zapatos.
Soy capaz de atarme los cordones de los zapatos.

---

candle

When I was one year old there was one **candle** on my birthday cake.
Now I am seven years old and there are seven **candles** on my birthday cake.

vela

Cuando cumplí un año había una **vela** en mi torta de cumpleaños.
Ahora tengo siete años y hay siete **velas** en mi torta de cumpleaños.

---

cane

The man has a sore leg and he walks with a **cane.**

bastón

Al hombre le duele la pierna y camina con un **bastón.**

canoe

A canoe is a **small, light boat.**
We move it with paddles or oars.

canoa

Una **canoa** es **un bote pequeño y ligero.**
Hacemos que se mueva con paletas o remos.

---

cap

The baseball player wears a **cap.**
The baseball player wears **a small hat.**

gorra

El jugador de béisbol usa una **gorra.**
El jugador de **béisbol** usa **un sombrero pequeño.**

---

cape

I made a **cape** for my doll.
A **cape** is like a coat but it has no sleeves.
A **cape** fastens at the neck and hangs
over the shoulders.

capa

Hice una **capa** para mi muñeca.
Una **capa** es como un vestido pero no tiene
mangas.
La **capa** se cierra en el cuello y cae sobre los
hombros.

C

car

An automobile is a **car.**

coche

Un automóvil es un **coche.**

---

card

My friend sent me a birthday **card.**
A **card** is a flat or folded piece of stiff paper.

tarjeta

Mi amigo me envió una **tarjeta** de cumpleaños.
Una **tarjeta** es un pedazo de cartulina lisa o doblada.

---

careful

Mother said, "Please be **careful** when you cross the street."
Mother said, "Please **pay attention** when you cross the street."

cuidadoso(a)

Mi madre dijo: "Por favor, sé **cuidadoso** cuando cruces la calle.".
Mi madre dijo: "Por favor, **presta atención** cuando cruces la calle."

carry

When you **carry** something you take it from one place to another.

cargar

Cuando **cargas** algo lo llevas de un lugar a otro.

---

case

We put things in a **case**.
A suit**case** is used to carry clothes in.

maleta

Ponemos cosas en la **maleta**.
La **maleta** se usa para llevar ropa.

---

castle

The king and queen live in a **castle**.
The **castle** is a large building with thick walls.
It has many rooms.

El rey y la reina viven en un **castillo**.
Un **castillo** es un edificio grande con paredes gruesas.
Tiene muchas habitaciones.

castillo

C

cat

I call my **cat** "Tom."
Dogs chase **cats.**

gato

Mi **gato** se llama Tomás.
Los perros persiguen a los **gatos.**

catch

Ted can **catch** the ball.
He can **take hold of** the ball before it hits the
ground.

coger

Teodoro puede **coger** la pelota.
El puede **agarrar** la pelota antes que
ésta toque el suelo.

cave

A **cave** is a large hole under the ground.
Sometimes a **cave** is called a cavern.
The bear sleeps all winter in a **cave.**

cueva

Una **cueva** es un hueco grande bajo la tierra.
A veces se llama caverna a la **cueva.**
El oso duerme en una **cueva** todo el invierno.

center

There are two holes near the **center** of the button.
There are two holes near the **middle** of the button.

centro

Hay dos huecos casi al **centro** del botón.
Hay dos huecos casi en el **medio** del botón.

---

certain

I like **certain** fruits but **some** fruits taste too sour.

cierto (a)

Ciertas frutas me gustan pero otras son muy ácidas.

---

chain

I walk my dog at the end of a small **chain.**

cadena

Llevo a mi perro de una pequeña **cadena.**

C

chair
silla

A **chair** is something to sit on.

La **silla** es para sentarse.

---

chalk

I like to write on the blackboard with **chalk.**

tiza

Me gusta escribir en la pizarra con **tiza.**

---

challenge

Bill is learning to ice skate because it is a **challenge.**

Bill is learning to ice skate because it is **hard to do.**

Guillermo está aprendiendo a patinar en el hielo porque eso es un **desafío** para él.

desafío

Guillermo está aprendiendo a patinar en el hielo porque eso es **difícil de hacer.**

chance
posibilidad

There is a **chance** of rain today.

Hay **posibilidad** de que llueva hoy.

---

change
cambiar

Mother asked me to **change** clothes.
She asked me to **put on different** clothes.

Mi madre me pidió que me **cambiara** de ropas.
Me pidió que me **pusiera otra** ropa **diferente.**

---

chase
perseguir

The dog likes to **chase** the cat.
The dog like to **run after** the cat.

Al perro le gusta **perseguir** al gato.
Al perro le gusta **correrle detrás** al gato.

C

cheap

Father bought a new hat.
The hat was **cheap**.
The hat **did not cost much money**.

barato (a)

Mi padre compró un sombrero nuevo.
El sombrero estaba **barato**.
El sombrero **no costó mucho dinero**.

---

check

The dentist **checks** my teeth.
The dentist **looks at** my teeth to be sure they are strong and healthy.

revisar

El dentista me **revisa** los dientes.
El dentista **me mira** los dientes para asegurarse de que estén fuertes y sanos.

---

cheek

Mother kissed me on the **cheek**.

mejilla

Mi madre me besó en la **mejilla**.

cheer

To **cheer** is to give a **happy shout.**
When our team won the ball game we gave a
cheer.

vitorear

Vitorear es dar un grito de aprobación.
Cuando nuestro equipo ganó el juego lo
vitoreamos.

---

cherry

cherries

My mother made a **cherry** pie.

cereza

Mi madre hizo un pastel de **cerezas.**

---

chest(1)

Father keeps tools in a **chest.**
Father keeps tools in a **box with a lid** on it.

caja

Mi padre guarda sus herramientos en una **caja.**
Mi padre tiene herramientas en una **caja con tapa.**

C

chest(2)

Your heart is in your **chest.**

pecho

Tu corazón está en tu **pecho.**

---

chew

We must **chew** our food well.
The baby cannot **chew** because she has no teeth.

mascar

Debemos **mascar** bien los alimentos.
La bebita no puede **mascar** porque no tiene dientes.

---

chicken

A **chicken** is a bird.
A mother **chicken** is a **hen.**
A father **chicken** is a **rooster.**
A baby **chicken** is a **chick.**

Un **pollo** es un ave.
La madre es la **gallina.**
El padre es el **gallo.**
Un **pollo** pequeño es un **pollito.**

pollo

chin
The **chin** is the lower part of my face.

barbilla
La **barbilla** es la parte inferior de mi cara.

---

china
Mother puts the **china** on the table.
Mother puts the **dishes** on the table.

vajilla
Mi madre pone la **vajilla** en la mesa.
Mi madre pone los **platos** en la mesa.

---

chip
There are chocolate **chips** in the cookies.
There are **small pieces** of chocolate in the cookies.

pedacito
Hay **pedacitos** de chocolate en las galleticas.
Hay **trocitos** de chocolate en las galleticas.

C

choose

chooses
choosing
chose
chosen

I must **choose** which I want to eat, the apple or the banana.

escoger

Debo **escoger** cual quiero comer, la manzana o la banana.

---

chop

The man used an ax to **chop** down the tree.
The man used an ax to **cut** down the tree.

talar

El hombre usó un hacha para **talar** el árbol.
El hombre usó un hacha para **derribar** el árbol.

---

circle

A **circle** is shaped like a ring.
We stand in a **circle** to play some games.

círculo

Un **círculo** es algo que tiene la forma de un anillo.
Nos ponemos en **círculo** para cierto juegos.

circus
circuses

The **circus** is a big show.
The children went to the **circus** and saw animals and clowns.
The **circus** was in a huge tent.

circo

El **circo** es un gran espectáculo.
Los niños fueron al **circo** y vieron animales y payasos.
El **circo** estaba en una carpa gigantesca.

---

citizen
cities

When a person lives in a country that person is a **citizen** of the country.

ciudadano

Cuando una persona vive en un país es **ciudadana** de ese país.

---

city

I live in a **city**.
I live in a **large town** where many people live and work.
The farmer lives in the country.

Vivo en una **ciudad**.
Vivo en una **población grande** donde muchas personas viven y trabajan.

ciudad

El campesine vive en el campo.

C

clap

When we like something we **clap** our hands.
We **hit our hands together**.
Mary sang a song and we **clapped** our hands.

aplaudir

Cuando nos gusta algo **aplaudimos**.
Golpeamos una mano contra la otra.
María cantó y nosotros **aplaudimos**.

---

claw

A cat's **claw** is sharp.

garra

La **garra** del gato es afilada.

---

clean

I help Mother **clean** the house.
I help Mother **get the dust and dirt out** of the house.
I wash my hands **clean** before I eat.

limpiar

Ayudo a mi madre a **limpiar** la casa.
Ayudo a mi madre a **sacar el polvo y la suciedad** de la casa.
Procuro que mis manos estén **limpias** antes de ir a comer.

clear

The sky is **clear.**
There are **no clouds** in the sky.
The water is **clear.**
There is **no dirt** in the water.
I read the story but it was not **clear** to me.
I read the story but I did not **understand.**

claro (a)

El cielo está **claro.**
No hay nubes en el cielo.
El agua está **clara.**
No hay suciedad en el agua.
Leí el cuento pero no lo encontré **claro.**
Leí el cuento pero no lo **entendí.**

climb

See the cat **climb** the tree.
See the cat **go up** the tree.

trepar

Mira como el gato se **trepa** al árbol.
Mira como el gato se **sube** al árbol.

clip

Mother will **clip** the dog's hair.
Mother will **cut** the dog's hair.

recortar

Mi madre le **recortará** el pelo al perro.
Mi madre le **cortará** el pelo al perro.

C

clock

I look at a **clock** to see what time it is.

reloj

Miro a un **reloj** para saber la hora.

---

close

I will **close** the door.

cerrar

Cerraré la puerta.

---

cloth

My dress is made of **cloth**.
This is cotton **cloth** but there are other kinds of **cloth**.

tela

Mi vestido está hecho de **tela**.
Esta **tela** es de algodón pero hay otras clases de **telas**.

cloud
nube

The **cloud** is made up of tiny drops of water and dust.

La **nube** está formada por gotas pequeñitas de agua y polvo.

clown
payaso

We saw a **clown** at the circus.
The **clown** was a very **funny man.**

Vimos un **payaso** en el circo.
El **payaso** era un **hombre** muy **cómico.**

club
porra

A **club** is a **heavy stick.**

La **porra** es un **palo pesado.**

C

coal

Coal is a fuel.
Coal is hard and black and it will burn.

carbón

El **carbón** es un combustible.
El **carbón** es duro, negro y se enciende.

---

coast

The seashore is called the **coast**.
The **coast** is the **land near the water**.

costa

La orilla del mar se llama la **costa**.
La **costa** es la **tierra cerca del agua**.

---

coat

When I go outside I put on my **coat**.
The **coat** has sleeves and keeps me warm.

abrigo

Me pongo un **abrigo** cuando salgo.
El **abrigo** tiene mangas y me mantiene abrigado.

cobbler   A **cobbler** is a person that mends **shoes.**

zapatero Un **zapatero** es la persona que remienda zapatos.

---

cold   In the wintertime it is **cold.**
In the wintertime it is **not warm.**

frío (a)   Hace **frío** en el invierno.
No hace calor en el invierno.

---

colt   The **baby horse** is a **colt.**

potrillo   Un **caballo muy joven** es un **potrillo.**

comb
peine

Jane's hair is tangled and she should **comb** it with her **comb.**

El pelo de Juana está enredado y ella debiera **peinárselo** con su **peine.**

---

come
comes
coming
came
come

Bill will **come** to my party.
Bill will **arrive** at my party.

venir

Guillermo **vendrá** a mi fiesta.
Guillermo **llegará** a mi fiesta.

The teacher said, "Please **concentrate** on your lesson." The teacher said, "Please **think only about** your lesson."

concentrate

concentrar

La maestra dijo: "Por favor, **concéntrense** en su lección.".
La maestra dijo: "Por favor, **piensen solamente en** su lección."

cone / cono

An ice cream **cone** is ice cream placed in a **cone-shaped** piece of pastry.

Un **cono** de helado es un helado que se ha colocado en un barquillo **en forma de cono.**

cook / cocinar

Mother is our **cook.**
Mother will **cook** our lunch.

Mi madre es nuestra **cocinera.**
Mi madre nos **cocinará** el almuerzo.

cool / fresco (a)

The weather is **cool** today.
The weather is **not warm and** it is **not very cold.**

El tiempo está **fresco** hoy.
El tiempo **no** está **caliente** y **no** está **muy frio.**

copy

Can you **copy** this picture?
Can you **make a picture that looks the same?**
Please don't **copy** the way I dress.
Please don't dress the **same** as I.

copiar

¿Puedes **copiar** este dibujo?
¿Puedes **hacer un dibujo igual a éste?**
Por favor, no me **copies** mi manera de vestir.
Por favor, no te vistas **igual** que yo.

---

corn

Corn is a grain that grows on a corn cob.
Corn is good to eat.
When we grind grains of **corn** we make **corn** meal.

maíz

El **maíz** es un grano que crece en una mazorca.
El **maíz** es bueno para comer.
Cuando molemos los granos del **maíz** hacemos harina de **maíz**.

---

corner

Bob waited for me on the **corner.**
Bob waited for me **where the two streets meet.**
Little Jack sat in a **corner.**
He sat **where two walls meet.**

Roberto me esperó en la **esquina.**
Roberto me esperó **donde se encuentran las dos calles.**
El pequeño Juanito se sentó en una **esquina.**
Se sentó **donde se unen las dos paredes.**

esquina

cost

How much did the box of candy **cost?**
What was the **price** of the box of candy?

costar

¿Cuánto **costó** la caja de bombones?
¿Cuál fue el **precio** de la caja de bombones?

---

cottage

A **cottage** is a small house.
We have a **cottage** near the mountains.

cabaña

Una **cabaña** es una casa pequeña.
Tenemos una **cabaña** cerca de las montañas.

---

cough

When I breathe smoke it makes me **cough.**
I **cough** when I have a bad cold.

toser

Cuando respiro humo me hace **toser.**
Toso cuando tengo un resfrio pesado.

C

count
contar

Bill can **count** to ten.
Here are the numbers one through ten:
1 2 3 4 5 6 7 8 9 10
I will help you. You can **count** on me.
I will help you. You can **rely** on me.
Guillermo puede **contar** hasta el número diez.
Estos son los números del uno al diez: 1 2 3 4 5 6 7 8 9 10
Te ayudaré. Puedes **contar** conmigo.
Te ayudaré. Puedes **confiar** en mí.

---

cover

Please **cover** the baby with a **blanket.**
Please **put the blanket over** the baby.

cubrir

Por favor, **cubre** al bebé con una manta.
Por favor, **ponle una manta encima** al bebé.
Mi padre pintó mi cuarto para **cubrir** la suciedad.

---

cow

We get milk and meat from a **cow.**

vaca

La **vaca** nos da la leche y la carne.

78

crack

The dish has a **crack** in it.
The dish has a **small break** in it.

partidura

El plato tiene una **partidura**.
El plato tiene una **rajadura**.

---

cradle

Baby sleeps in a **cradle**.
Baby sleeps in a **small bed** that rocks back and forth.

cuna

El bebé duerme en la **cuna**.
El bebé duerme en una **camita** que se mece.

---

crawl

The baby is learning to **crawl** on her hands and knees.
The baby is learning to **move on her hands and knees.**
She will learn to walk after she learns to **crawl.**

gatear

La niña aprende a **gatear** con sus manos y sus rodillas.
La niña está aprendiendo a **moverse con sus manos y sus rodillas.**
Ella aprenderá a caminar después que aprenda a **gatear.**

crayon

A **crayon** is made of colored wax.
I like to color pictures with **crayons.**

creyón

El **creyón** se hace de cera de colores.
Me gusta colorear con **creyones.**

---

cream

Cream is part of milk.
If we beat the **cream** it will turn into butter.
Mother puts another kind of **cream** on her skin to keep it soft and pretty.

crema

La **crema** es parte de la leche.
Si batimos la **crema** se la convertirá en mantequilla.
Mi madre usa otra clase de **crema** para que su piel se le conserve suave y bonita.

---

creep
creeps
creeping
crept
crept

arrastrarse

Watch Baby **creep** on her hands and knees.
Watch Baby **crawl** on her hands and knees.

Mira como el bebé se **arrastra** con sus manos y rodillas.
Mira como el bebé **gatea** con sus manos y rodillas.

criticize

Bill asked the teacher to **criticize** his picture.

criticar

Guillermo le pidió a su maestra que **criticara** su dibujo.

---

cross

Mother said, "Do not **cross** the street."
Mother said, "Do not **go across** the street."

cruzar

Mi madre dijo: "No **cruces** la calle."
Mi madre dijo: "No **atravieses** la calle."

---

crown

The king wore a **crown** on his head.

corona

El rey usó una **corona** en la cabeza.

C

cruel

The boy was **cruel** to his dog.
The boy liked to see the dog suffer.

cruel

El niño fué **cruel** con su perro.
Al niño le gustaba ver sufrir a su perro.

---

crumbs

I fed the birds some **crumbs** of bread.
I fed the birds some **small pieces** of bread.

migajas

Alimenté a los pájaros con **migajas** de pan.
Alimentá a los pájaros con algunos **pedacitos** de pan.

---

cry

When the baby gets hungry she will **cry.**
When the baby gets hungry **tears will come** to her eyes and she will **yell.**
Mary is **crying** because her friends treated her badly.

llorar

La bebita **llorará** cuando tenga hambre.
La bebita **tendrá lágrimas en sus ojos** y **gritará** cuando tenga hambre.
María está **llorando** porque sus amigas la trataron mal.

---

cup
taza

The baby will drink her milk out of a **cup.**

La bebita tomara su leche en una **taza.**

cure

Bob has a stomach ache but the doctor will cure it.

curar

Roberto tiene dolor de estómago pero el doctor lo **curará**.

---

curl

Linda has curls in her hair.

rizo

Linda tiene **rizos** en su pelo.

---

curved

A **curved** line is not a straight line.
This is a straight line. ———————
This is a **curved** line.

curva

Una línea **curva** es una línea que no es recta.
Esta es una linea recta. ———————
Esta es una linea **curva**.

C

cushion

When Mother watches T.V. she puts a **cushion** behind her back.
When Mother watches T.V. she puts a **pillow** behind her back.

cojín

Cuando mi madre mira la televisión se pone un **cojín** en la espalda.
Cuando mi madre mira la televisión se pone una **almohada** en la espalda.

---

cut
cuts
cutting
cut
cut

Jim **cut** the apple with a knife.

cortar

Jaime **cortó** la manzana con un cuchillo.

---

cute

Our new puppy is **cute**.
Our new puppy is **little and pretty**.

gracioso (a)

Nuestro perrito nuevo es **gracioso**.
Nuestro perrito nuevo es **pequeño y lindo**.

dad

I call my father **Dad.**

papá

Le llamo **papá** a mi padre.

---

dairy
dairies

We buy milk and butter at the **dairy.**

lechería

Compramos leche y mantequilla en la **lechería.**

---

dance

The children like to **dance.**
They like to **move in time with the music.**

bailar

A los niños les gusta **bailar.**
Les gusta **moverse al compás de la música.**

danger

If the light is red, do not cross the street.
The red light means **danger**.
The red light means **you may have an accident**.

No cruces la calle si la luz está roja.
La luz roja significa **peligro**.
La luz roja quiere decir que **puedes tener un accidente**.

peligro

---

dare

Do you **dare** to jump across the stream?
Are you **brave enough** to jump across the stream?

atreverse

¿Te **atreves** a brincar el arroyo?
¿Eres lo **bastante valiente** como para saltar el arroyo?

---

dark

At night the sky is **dark**.
At night the sky is **not light**.

oscuro (a)

El cielo **está oscuro** por la noche.
Por la noche el cielo **no está claro**.

dash

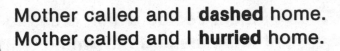

Mother called and I **dashed** home.
Mother called and I **hurried** home.

apresurarse

Mamá me llamó y **me apresuré** en volver a casa.
Mamá me llamó me **dí prisa** en volver a casa.

---

date

I look on the calendar to see the **date** of my birthday.
The calendar shows the month, week and day when I was born.

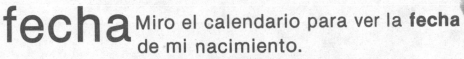

fecha

Miro el calendario para ver la **fecha** de mi nacimiento.
El calendario muestra el mes, la semana y el día en que nací.
El **número** que aparece en una moneda es la **fecha** en que fué hecha.

---

day

A **day** is 24 hours.
There are seven **days** in a week.
The first **day** of the week is Sunday.

día

El **día** tiene 24 horas.
La semana tiene 7 **días.**
El primer **día** de la semana es domingo.

D

decide

I must **decide** which dress to wear.
I must **make up my mind** which dress to wear.
I **decided** to wear the blue dress.

decidir

Debo **decidir** el vestido que me voy a poner.
Debo **resolver** que vestido voy a usar.
Decidí usar el vestido azul.

---

deep

The water in the pond is **deep**.
Deep means how far in or down something goes.

hondo (a)

El agua del estaque es **hondo**.
Hondo significa todo lo profundo a que una cosa pueda bajar.

---

deer
deer

The **deer** is a wild animal.
The **deer** eats grass and vegetables.
The father **deer** is called a **buck**.
The mother **deer** is called a **doe**.
The baby **deer** is called a **fawn**.

venado

El **venado** es un animal salvaje.
El **venado** come hierba y vegetales.
El **venado** padre es el **ciervo**.
El **venado** madre es la **cierva**.
El bebé del **venado** es un **ciervillo**.

definite The date of the party is **definite**.
The date of the party **has been set and will not be changed.**

definitivo (a) La fecha de la fiesta es **definitiva**.
La fecha de la fiesta **ha sido fijada y no será cambiada.**

---

delight I will **delight** my sister with this gift.
She will be **happy** and it will give her **great joy**.

deleitar Yo **deleitaré** a mi hermana con este regalo.
Ella se sentirá **feliz** y le daré una **gran alegria**.

---

deliver The milkman **delivers** milk to our house.
The milkman **brings** milk to our house.

entregar El lechero nos **entrega** la leche en casa.
El lechero nos **trae** la leche a casa.

D

demand

I **demand** that you return my pencil.
I **ask** you to return my pencil.

exigir

Exijo que me devuelvas mi lápiz.
Te **pido** que me devuelvas mi lápiz.

---

den

The rabbit went to his **den.**
The rabbit went to his **home.**
A **den** is the home of a wild animal.

madriguera

El conejo se fué para su **madriguera.**
El conejo se fué para su **casa.**
La **madriguera** es la casa de un
   animal salvaje.

---

dentist

I go to the **dentist** twice a year.
The **dentist** is a doctor.
He keeps my teeth healthy.

dentista

Voy al **dentista** dos veces al año.
El **dentista** es un doctor.
El mantiene mis dientes sanos.

describe

Will you **describe** your vacation?
Will you **tell about** your vacation?

describir

¿Me **describirás** tus vacaciones?
¿Me **dirás acerca** de tus vacaciones?

---

desert

The **desert** is a large, sandy piece of land without trees and grass.
There is very little water and the sand is hot and dry on the **desert**.
Camels travel on the **desert**.

desierto

El **desierto** es una extensión grande y arenosa de terreno sin arboles ni hierba.
En el **desierto** hay muy poca agua y la arena es caliente y seca.
Los camellos viajan por el **desierto**.

---

deserve

Mary helped her mother clean the house.
She **deserves** a piece of candy.
She **should have** a piece of candy.

merecer

María ayudó a su madre a limpiar la casa.
Ella **merece** un poco de dulce.
Ella **debiera recibir** un pedazo de dulce.

D

desk

A **desk** is a table on which we write, read and draw.

I have a **desk** at school.

pupitre

Un **pupitre** es una mesa sobre la cual escribimos, leemos y dibujamos.

Yo tengo un **pupitre** en la escuela.

---

destroy

To **destroy** something means to **ruin** something.

Please don't **destroy** the book.

Please don't **tear up** the book.

destruir

Destruir significa **arruinar** algo.

Por favor, no **destruyas** el libro.

Por favor, no **rompas** el libro.

---

dew

The grass was covered with **dew** this morning.

The grass had **small drops of water** on it this morning.

rocío

La hierba estaba llena de **rocío** por la mañana.

Había **gotitas de agua** sobre la hierba esta mañana.

diamond

Mother has a **diamond** ring.
The **diamond** is a beautiful stone.
It is clear as glass and it sparkles.

diamante

Mi madre tiene un anillo de **diamantes.**
El **diamante** es una piedra hermosa.
Es claro como el cristal y brilla.

---

dictionary
dictionaries

A **dictionary** is a book that tells us the
meaning of words.
This book is a **dictionary.**

diccionario

El **diccionario** es un libro que nos dice el
significado de las palabras.
Este libro es un **diccionario.**

---

die

The mouse will **die** if he gets caught in the
mousetrap.
The mouse **will not live** any longer if he gets
caught in the mousetrap.

morir

El ratón **morirá** si la ratonera lo atrapa.
El ratón **no vivirá** mas si cae en la trampa.

D

different

The two balls are **different**.
One is a baseball and the other is a football.
Different means that they are **not the same.**

diferente

Las dos pelotas son **diferentes.**
Una es una pelota de béisbol y la otra una pelota de fútbol.
Diferente significa que no son iguales.

---

dimension

What are the **dimensions** of your clubhouse?
What is the **size** of your clubhouse?

dimensión

¿Cuáles son las **dimensiones** de tu casa club?
¿Qué **tamaño** tiene tu casa club?

---

direction

Which **direction** did the airplane go?
Did it go **north, south, east or west?**

dirección

¿En que **dirección** fue ese avión?
¿Fue al **norte, al sur, al este o al oeste?**

dirt

Bill washed his hands to get the **dirt** off.
Bill washed his hands to get the **mud and dust** off.

suciedad

Guillermo se ha lavado las manos para quitarse la **suciedad** de ellas.
Guillermo se ha lavado las manos para quitarse **el fango y el polvo** de ellas.

---

dirty
dirtier
dirtiest

Bill washed his hands because they were **dirty**.
His hands were **not clean**.

sucio (a)

Guillermo se lavó las manos porque las tenía **sucias**.
Sus manos **no estaban limpias**.

---

disappear

The dog is eating his dinner.
Watch the food **disappear**.
Most of the food has been eaten.
Most of the food has **disappeared**.

El perro come su alimento.
Fíjate como la comida **desaparece**.
Se comió casi toda la comida.

desaparecer
Casi toda la comida ha **desaparecido**.

distance
What is the **distance** from here to your house?

distancia
¿Qué **distancia** hay de aquí a tu casa?

---

divide
When we **divide** a thing we **make it into parts.**
I will cut the apple into three pieces.

dividir
Cuando **dividimos** una cosa la **separamos en partes.**
Yo cortaré la manzana en tres partes.

---

doctor
A **doctor** is a person that takes care of your health.
When I am sick Mother takes me to the **doctor.**

médico
El **médico** es la persona que cuida de tu salud.
Cuando me enfermo mi madre me lleva al **médico.**

dog

John has a **dog**.
He feeds his **dog** every evening.

perro

Juan tiene un **perro**.
Le da a comer a su **perro** cada tarde.

---

donkey

The **donkey** is an **animal** that looks like a small horse.
The **donkey** has long ears.

burro

El **burro** es un **animal** que parece un caballo pequeño.
El **burro** tiene las orejas largas.

---

door

A **door** opens or shuts the entrance to a building or room.
I have a **door** on my clothes closet.

puerta

La **puerta** abre o cierra la entrada de un edificio o habitación.
Hay una **puerta** en el armario.

D

doorway The **doorway** is where the door **is.**

entrada La **entrada** está donde está la puerta.

---

dot
A **dot** is a small round spot.
At the end of this sentence is a **dot.**
We call this **dot** a **period.**

punto
Un **punto** es una marca pequeña y redonda.
Hay un **punto** al final de esta oración.
A esta **marca** le llamamos **punto final.**

---

dreadful
The teacher said, "Your writing is **dreadful."**
The teacher said, "Your writing is **very bad."**

terrible
El maestro dijo: "Tu caligrafía es **terrible."**
El maestro dijo: "Tu caligrafía es **muy mala."**

dresser

A **dresser** is a piece of furniture.
We keep clothes in a **dresser.**

cómoda

La cómoda es un mueble.
Guardamos ropa en la **cómoda.**

---

drill

A **drill** is a tool.
A **drill** makes holes in wood or metal.

barrena

La **barrena** es una herramienta.
La **barrena** abre huecos en la madera o en el metal.

---

drink
drinks
drinking
drank
drunk

When we **drink** we swallow a liquid.
Watch the baby **drink** her milk.
I **drank** my milk.

beber

Cuando **bebemos** tragamos líquidos.
Mira como la nenita se **bebe** la leche.
Me **bebí** la leche.

D

drive
drives
driving
drove
driven

My mother can **drive** the car.
My mother can **make the car go.**

conducir
Mi madre puede **conducir** el coche.
Mi madre puede **hacer que el coche camine.**

---

dromedary
dromedaries

The **dromedary** is a **camel** that has one hump on its back.
The **dromedary** is trained to run fast and carry things on its back.

dromedario

El **dromedario** es un **camello** que tiene una sola joroba en el lomo.
Algunos camellos tienen dos jorobas en el lomo.
El **dromedario** se entrena para que corra rápido y lleve cosas en el lomo.

---

drop(1)
dejar caer

You may hold the kitten but you must not **drop** it.

Puedes cargar al gatito pero no lo **dejes caer.**

drop(2)
gota

A **drop** of rain fell on my nose.

Una **gota** de lluvia me cayó en la nariz.

---

drown

If you go into the deep water you may **drown**.
If you are under water and cannot breathe you
may **die**.

ahogarse

Si entras en el agua honda puedes **ahogarte**.
Si estás debajo del agua y no puedes respirar,
puedes **morirte**.

---

drum

A **drum** is a musical instrument.
We beat the **drum** with two sticks.
We beat some **drums** with our hands.

El **tambor** es un instrumento musical.
Hacemos sonar el **tambor** con dos palitos.
Hacemos sonar algunos **tambores** con nuestras
manos.

tambor

D

dry

When something is **dry** it is **not wet**.
If it doesn't rain the ground will become **dry.**
If it rains the ground will be wet.

seco (a)

Cuando algo está **seco no** está **mojado.**
Si no llueve la tierra se **secará.**
Si llueve la tierra se mojará.

duck

A **duck** is a bird that can swim.
A **duck** has a wide bill and a short neck.

pato

Un **pato** es un ave que puede nadar.
El **pato** tiene el pico ancho y el cuello corto.

during

The teacher said, "Please do not chew gum **during** class."
The teacher said, "Please do not chew gum **while you are in** class."

durante

El maestro dijo: "Por favor, no masquen goma **durante** la clase."
El maestro dijo: "Por favor, no masquen goma **mientras estén** en la clase."

dust
The wind blows **dust.**
The wind blows **tiny bits of dirt.**

polvo
El viento levanta el **polvo.**
El viento sopla **partículas muy pequeñas de tierra.**

---

dwarf A **dwarf** is a very small person.

enano Un **enano** es una persona de pequeña estatura.

---

dwell
Where do you **dwell?**
Where do you **live?**

habitar
¿Dónde **habitas?**
¿Dónde **vives?**

E

each

My father gave **each** of the children a toy.

cada

Mi padre le dio a **cada** niño un juguete.

---

eager

Ann is **eager** to open the box.
Ann **wants very much** to open the box.

ansioso (a)

Ana está **ansiosa** por abrir la caja.
Ana **quiere mucho** abrir la caja.

---

eagle

The **eagle** is a large bird.

aguila

El **águila** es un ave grande.

104

ear   We have two **ears** to hear with.

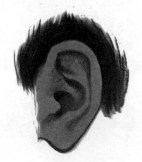

oído   Tenemos dos **oídos** para oír.

---

early   I went to school **early** this morning.
Please come to my party and try to be **early**.

temprano Fuí **temprano** a la escuela esta mañana.
Por favor ven a mi fiesta y trata de llegar
temprano.

---

earn   Roy is a lawyer.
He **earns** a lot of money.

ganar   Rogelio es un abogado.
El **gana** mucho dinero.

E

earth

Mother planted flower seeds in the **earth**.
It was hard to dig a hole in the **earth**.

tierra

Mi madre plantó las semillas en la **tierra**.
Le resultó difícil abrir un hueco en la **tierra**.

---

east

The sun rises in the **east** and sets in the west.
When you face north the **east** is at your right.

este

El sol sale por el **este** y se pone por el oeste.
Cuando mira al norte el **este** queda a su derecha.

---

easy
easier
easiest

The puzzle is **easy** to work.
The puzzle is **not hard** to work.

fácil

El rompecabezas es **fácil** de armar.
El rompecabezas **no es difícil** de armar.

eat
eats
eating
ate
eaten

"Would you care for something to **eat?**"
"No, I have **eaten.**"
"I **ate** before I came here."
After the baby awoke she **ate** cookies and milk.

comer

¿Deseas algo de **comer?**
No, ya **comí.**
Comí antes de venir.
Después que la nena se levantó **comió** galletas y tomó leche.

---

eclipse

When the moon moves between the sun and the earth an **eclipse** occurs.
The moon **blocks out the light** from the sun.

eclipse

Cuando la luna se coloca entre el sol y la tierra ocurre un **eclipse.**
La luna **no deja pasar la luz** del sol.

---

edge

The girl is standing at the water's **edge.**
She is standing where the water **ends.**

orilla

La niña está parada a la **orilla** del agua.
Está parada donde **termina** el agua.

egg

I ate an **egg** for breakfast.
Chickens lay **eggs.**
Birds lay **eggs,** too.
A baby bird is born from an **egg.**

huevo

Me comí un **huevo** en el desayuno.
Las gallinas ponen **huevos.**
Las aves también ponen **huevos.**
El pajarito nace del **huevos.**

---

eight

There are **eight** apples.
When you count them you say: 1 2 3 4 5 6 7 8.

ocho

Hay **ocho** manzanas.
Cuando las cuentas dices: 1 2 3 4 5 6 7 8

---

either

Here are two books. You may read **either** of them.
You may read **one or the other.**

cualquiera

Aquí hay dos libros. Puedes leer
cualquiera de ellos.
Puedes leer **uno o el otro.**

electric

Things that use electricity to work are called **electric.**
The light bulb uses electricity.
Mother's **electric** iron uses electricity.

eléctrico (a)

Las cosas que usan la electricidad para funcionar se dice que son **eléctricas.**
Las bombillas usan electricidad.
La plancha eléctrica de mi madre usa electricidad.

---

elephant

The **elephant** is a large, thick skinned hoofed animal.

elefante

El **elefante** es un animal de piel gruesa que tiene cascos en las patas.

---

elevator

We use the **elevator** to go up in the building.
The **elevator lifts** us to the floor that we are going to.

Usamos el **elevador** para subir a los pisos altos del edificio.
El **elevador** nos **lleva** al piso donde queremos ir.

elevador

E

empty

emptier
emptiest

The cookie jar is **empty**.
The cookie jar has **nothing in it.**

vacío (a)

La galletera está **vacía.**
La galletera no tiene **nada adentro.**

---

endeavor

I must **endeavor** to pass the test.
I must **try** to pass the test.

esforzarse

Debo **esforzarme** en pasar el examen.
Debo **tratar** de pasar el examen.

---

enemy

enemies

A soldier fights the **enemy.**
He fights the **people who are against him.**
You are not my **enemy.**
You do not **hate** me.

enemigo

El soldado pelea con el **enemigo.**
El pelea con **los que están en su contra.**
Tú no eres me **enemigo.**
Tú no me **odias.**

110

engine

The engine pulls the railroad cars.

locomotora

La locomotora tira de los carros del ferrocarril.

---

enjoy

Did you **enjoy** the movie?
Did you **like** the movie?
Did the movie **make you happy?**

disfrutar

¿**Disfrutaste** le película?
¿Te **gustó** la película?
¿Te **alegró** la película?

---

enough

Mary has **enough** cloth to make a doll dress.
Mary **has as much** cloth **as is needed** to make a doll dress.

suficiente

María tiene **suficiente** tela para hacerle un vestido a su muñeca.
María tiene **tanta** tela **como necesita** para hacerle un vestido a su muñeca.

E

envelope

When I write a letter I put it in an **envelope**. On the front of the **envelope** I write the name and address of the person to whom I am sending the letter.

sobre

Cuando escribo una carta la pongo en un **sobre**. Al frente del **sobre** escribo el nombre y la dirección de la persona a quien le estoy enviando la carta.

---

escape

The bird cannot **escape** from the cage.
The bird cannot **get out of** the cage.

escapar

El pájaro no se puede **escapar** de la jaula.
El pájaro ne se puede **salir de** la jaula.

---

essential

Food and water are **essential** to stay alive.
We **must have** food and water to stay alive.

esencial

La comida y el agua son **esenciales** para vivir.
Debemos comer alimentos y beber agua para vivir.

even

At the end of the football game the score was **even.**

At the end of the football game the score was **tied.**

| VISITORS | O | 7 | O | 6 | 13 | |
| TIGERS | O | O | 6 | 7 | 13 | |

empatar

Los tantos estaban **empatados** al final del juego de fútbol.

Los dos equipos **tenían los mismos tantos** al final del juego de fútbol.

evening

The **evening** is the time after sunset.
After the **evening** it is night.

atardecer

El **atardecer** es la hora después de la puesta del sol.

Después del **atardecer** viene la noche.

every

I take a bath **every** day.
I take a bath **each** day.

cada

Mi baño **cada** dia.
Me baño **todos** los días.

E

everybody

Tom gave **everybody** a piece of candy.
Tom gave **everyone** a piece of candy.
Tom gave **each person** a piece of candy.

todo el mundo

Tomás le dio a **todo el mundo** un carmelo.
Tomás le dio a **cada uno** un caramelo.
Tomás le dio a **cada persona** un caramelo.

---

everything

The boys put **everything** in one pile.
The boys put **all the things** in one pile.

todo

Los muchachos lo ponen **todo** en un montón.
Los muchachos ponen **todas las cosas** en un montón.

---

except

All of the flowers **except** the blue one are red.
All of the flowers **but** the blue one are red.

excepto

Todas las flores **excepto** la azul son rojas.
Todas las flores **menos** la azul son rojas.

exchange

Mary's new dress is too large.
Mary's mother will **exchange** the dress for a smaller size. She will go to the store and **swap** it for a smaller size.

cambiar

El vestido nuevo de María está grande demás. La madre de María **cambiará** el vestido por uno de talla menor. Irá a la tienda y lo **cambiará** por uno mas pequeño.

---

excited

We were **excited** when the postman delivered a large box.
I get **excited** when I hear the fire truck.

emocionarse

Nos **emocionamos** cuando el cartero trajo una ca- grande.
Me **emociono** cuando oigo la bomba de incendios.

---

excuse

Please **excuse** me for being late.
Please **pardon** me for being late.

excusar

Por favor, **excúseme** por llegar tarde.
Por favor, **perdóneme** por llegar tarde.

E

exercise

We need **exercise** to keep our body and mind healthy.
When we run we **exercise** our legs.

ejercicios

Necesitamos los **ejercicios** para mantenernos sanos de cuerpo y mente.
Cuando corremos **ejercitamos** las piernas.

---

exhausted

After playing football I was **exhausted.**
After playing football I was **very tired.**

agotado (a)

Quedé **agotado** después de jugar al fútbol.
Quedé **muy cansado** después de jugar al fútbol.

---

expect

We **expect** it will snow today.
We **think** it will snow today.

esperar

Esperamos que nieve hoy.
Pensamos que nieve hoy.

---

eye

We see with our **eyes.**
We have two **eyes** to see with.

ojo

Vemos con nuestros **ojos.**
Tenemos dos **ojos** para ver con ellos.

face
cara

My **face** is the front part of my **head**.

La **cara** es la parte delantera de la cabeza.

---

fact

A **fact** is something that is true.
It is a **fact** that Tom has red hair.

hecho

Un **hecho** es algo que es verdad.
Es un **hecho** que Tomás tiene el pelo rojo.

---

factory
factories

A **factory** is a building where things are made.
Furniture is made in a **factory**.
Cars are made in a **factory**.

fábrica

Una **fábrica** es un edificio donde se hacen cosas.
Los muebles se hacen en una **fábrica**.

F

fade

Some cloths will **fade.**
Some cloths will **lose their color.**

decolorar

Algunas telas se **decolorarán.**
Algunas telas **perderán su color.**

---

fail

Bill **failed** to hit the ball.
Bill **was not able** to hit the ball.

fallar

Guillermo **falló** al tratar de pegarle a la pelota.
Guillermo **no fué capaz** de pegarle a la pelota.

---

fair

We will play the game but you must play **fair.**

honestamente

Jugaremos pero debes jugar **honestamente.**

fairy
fairies

A **fairy** is a make-believe person that can do magic tricks.
We read about **fairies** in books.

hada

Un **hada** es una persona imaginaria que puede hacer trucos mágicos.
Leemos sobre las **hadas** en los libros.

---

fall
falls
falling
fell
fallen

Hold the baby's hand and don't let her **fall**.
The snow began to **fall**.
The snow began to **come down**.

caer

Toma la nena por las manos y no la dejes **caer**.
La nieve comenzó a **caer**.
La nieve empezó a **bajar**.

---

false
falso (a)

A **false** story is a story that is **not true**.

Una historia **falsa** es algo que **no es cierto**.

F

family
families

The mother and father and their children are a **family.**

familia
La madre, el padre y los hijos son una **familia.**

---

fan

We use a **fan** to keep us cool.
The **fan** moves air around the room.

ventilador

Usamos un **ventilador** para refrescarnos.
El **ventilador** mueve el aire por toda la habitación.

---

far

The airplane is **far** away.
The airplane is **not near.**

lejos

El avión está **lejos.**
El avión **no está cerca.**

farm

A **farm** is a piece of land in the country.
A **farm** is where our food is grown.

finca

Una **finca** es un pedazo de tierra en el campo.
La **finca** es donde crecen nuestros alimentos.

---

farmer

The **farmer** lives on a farm.
The farmer is the **person that grows our food.**

campesino

El **campesino** vive en una finca.
El **campesino** es la **persona que cultiva nuestros alimentos.**

---

fat
fatter
fattest

The dog eats too much and he is **fat.**
The dog eats too much and he is **not thin.**

gordo (a)

El perro come demasiado y está **gordo.**
El perro come demasiado y **no está delgado.**

F

father

My **father** is my mother's husband.
I am the son of my **father** and mother.

padre

Mi **padre** es el esposo de mi madre.
Soy el hijo de mi **padre** y de mi madre.

---

fatigued

If you work or play too much you will become **fatigued.**
If you work or play too much you will become **very tired** and **weary.**
When you are **fatigued** you are **exhausted.**

fatigado (a)

Si trabajas o juegas demasiado te **fatigarás.**
Si trabajas o juegas demasiado te sentirás **muy cansado y agotado.**
Cuando te **fatigas** te **agotas.**

---

fault

The milk spilled but it was not my **fault.**

culpa

La leche se derramó pero no fue mi **culpa.**

fear

I **fear** the dog when he barks at me.
I am **afraid** of the dog when he barks at me.

temer

Le **temo** al perro cuando me ladra.
Le **tengo miedo** al perro cuando me ladra.

---

feather

A **feather** fell from the bird's wing.
Some animals are covered with hair.
Birds are covered with **feathers.**
Sometimes we say things are light as a **feather.**

pluma

Del ala del pájaro cayó una **pluma.**
Algunos animales están cubiertos de pelo.
Las aves están cubiertas de **plumas.**
Algunas veces decimos que hay cosas livianas
como una **pluma.**

---

feed
feeds
feeding
fed
fed

I go to the pond and **feed** the fish.
I go to the pond and **give food** to the fish.

Voy al estanque y **alimento** a los peces.
Voy al estanque y **doy de comer** a los peces.

alimentar

F

feel
feels
feeling
felt
felt

Would you like to **feel** how soft the kitten is?
Would you like to **touch** the kitten?

sentir

¿Te gustaría **sentir** lo suave que es el gatito?
¿Te gustaría **tocar** al gatito?

---

feet
foot
feet

All of us have two **feet.**

pies

Todos tenemos dos **pies.**

---

feign

Mother said, "Don't lie in bed and **feign** sleep."
Mother said, "Don't lie in bed and **pretend** that you are asleep."

Mi madre dijo:
"No te quedes en la cama **fingiendo** que duermes."
Mi madre dijo: "No te quedes en la cama **pretendiendo** que estás dormido."

fingir

fellow

The young **fellow** doesn't feel well.
The young **boy** doesn't feel well.

chico

El **chico** no se siente bien.
El **muchacho** no se siente bien.

---

fence

We have a **fence** around our yard.
Our dogs cannot get outside the **fence**.
This **fence** is made of wire but some **fences** are made of wood.

cerca

Tenemos una **cerca** alrededor de nuestro patio.
Nuestros perros no pueden salirse de la **cerca**.
Esta **cerca** está hecha de alambre pero algunas **cercas** son de madera.

---

few

There are **few** flowers on this side of the hill.
There are **not many** flowers on this side of the hill.

pocos (as)

Hay **pocas** flores en este lado de la loma.
No hay muchas flores en este lado de la loma.

F

field

A field is a **flat piece** of land.
Sometimes grass grows in a **field**.
Sometimes the farmer grows corn in a **field**.

llanura

Una llanura es un **pedazo de tierra plana**.
Algunas veces la hierba crece en la **llanura**.
Algunas veces el campesino cultiva maíz en la **llanura**.

fierce

The tiger is a **fierce** animal.
The tiger is a **savage** animal.

feroz

El tigre es un animal **feroz**.
El tigre es un animal **salvaje**.

fictitious

Mother said that my story was **fictitious**.
Mother said that my story was **untrue**.
She knew that I had made up a **false** story.

ficticio (a)

Mi madre dijo que mi cuento era **ficticio**.
Mi madre dijo que mi cuento **no era cierto**.
Ella sabía que yo hice un cuento **falso**.

file

We entered the classroom in single **file**.
We entered the classroom in one **line**, each pupil behind the other.

fila

Entramos al aula en **fila**.
Entramos al aula en una **línea y caminamos** uno detrás del otro.

---

fill

We watched the man **fill** the pool with water.
The man **filled** the pool with water.

llenar

Vimos al hombre **llenando** el estanque de agua.
El hombre **llenó** el estanque de agua.

---

finally

I thought my dog was lost but he **finally** came home.
At last he came home.

finalmente

Pensé que mi perro se había perdido pero regresó a casa **finalmente**.
Al fin volvió.

F

find
finds
finding
found
found

Did Tom **find** his coat?
Did Tom **see** his coat?
Tom **found** his coat in the closet.

encontrar

¿**Encontró** Tomás su abrigo?
¿**Vio** Tomás su abrigo?
Tomás **encontró** su abrigo en el armario.

---

fine

I drew a **fine** line on the paper.
I drew a **thin** line on the paper.

fino (a)

Tracé una línea **fina** en el papel.
Tracé una línea **delgada** en el papel.

---

finger

Mary has a ring on her **finger.**
We use our **fingers** to feel and pick up things.

dedo

María tiene un anillo en el **dedo.**
Usamos nuestros **dedos** para tocar y recoger cosas.

finish

Tom will **finish** his dinner soon.
Tom will **come to the end** of his dinner soon.
When Tom has **finished** his dinner, he will do his homework.

terminar

Tomás **terminará** de cenar pronto.
Tomás **dará fin** a su cena pronto.
Cuando Tomás haya **terminado** de cenar hará su tarea.

fire

A **fire** is hot and we must not get too near it.
A **fire** can be good or it can be bad.
We use a **fire** to cook our food.
Sometimes a **fire** will burn down a house.

fuego

El **fuego** es caliente y no debemos acercarnos mucho a él.
El **fuego** puede ser bueno y puede ser malo.
Usamos el **fuego** para cocinar nuestros alimentos.
Algunas veces un **fuego** puede quemar una casa.

fire alarm

We use a **fire alarm** to warn the fireman that there is a fire somewhere.

alarma de fuego

Usamos la **alarma de fuego** para avisarle a los bomberos que hay un incendio en alguna parte.

F

fireman

A **fireman** is a person that protects us from fires. The **fireman** is trained to put out fires.

bombero

El **bombero** es la persona que nos protege del fuego.

El **bombero** se entrena para apagar fuegos.

---

first

Jim got in the school bus **first.**
Jim got in the school bus **before anyone else.**

January is the **first** month of the year.

primer

Jaime entró en el ómnibus de la escuela **primero.**
Jaime entró en el ómnibus de la escuela **antes de los demás.**
Enero es el **primer** mes del año.

---

fish
fish

A **fish** is an animal that lives in the water.
Some **fish** are good to eat.

pez

El **pez** es un animal que vive en el agua.
Algunos **peces** son buenos para comer.

fit

I will try the coat on to see if it will **fit**.
I will try the coat on to see if it is the **right size**.

servirse

Me probaré el abrigo para ver si **me sirve**.
Me probaré el abrigo para ver si es **de mi talla**.

---

five

When we count to **five** we say: 1 2 3 4 5.

cinco

Cuando contamos hasta **cinco** decimos: 1 2 3 4 5.

---

fix

The toy is broken but I can **fix** it.
The toy is broken but I can **put it together** again.

arreglar

El juguete está roto pero puedo **arreglarlo**.
El juguete está roto pero puedo **componerlo**.

F

flag
bandera

Each country has a different **flag**.

Cada país tiene una **bandera** diferente.

---

flame
llama

When a fire burns it makes a **flame**.

Cuando se prende el fuego sale una **llama**.

---

flamingo

A **flamingo** is a large bird that lives where the weather is warm.
The color of the **flamingo** is reddish orange.
It has long legs and wades in the water.

flamenco

El **flamenco** es un ave que vive donde hace calor.
El color de los **flamencos** es anaranjado rojizo.
Tiene las piernas largas y anda en el agua.

flash

Watch the light on the police car **flash.**
Watch the light on the police car **go on and off.**

relampaguear

Mira como **relampaguea** la luz del auto del policía.
Mira como **se enciende y se apaga** la luz del auto de la policía.

---

flat

The desk has a **flat** top.
The desk has an **even** top.

liso (a)

La parte de arriba del escritorio es **lisa.**
La parte de arriba del escritorio es **plana.**

---

float

A boat will **float** on the water.
A boat will **stay on top** of the water.
The boat **will not sink.**

Un bote **flotará** sobre el agua.
Un bote **se mantendrá sobre el agua.**
El bote **no se hundirá.**

flotar

F

floor

The **floor** is the **bottom part of a room.**
Mother puts wax on the **floor.**

piso

El **piso** es la **parte de abajo de una habitación.**
Mi madre enceró el **piso.**

---

flour

Flour is made from wheat.
Bread and cakes are made from **flour.**

harina

La **harina** se hace del trigo.
El pan y la torta se hacen con **harina.**

---

flow

See the water **flow** over the dam.
See the water **run** over the dam.

fluir

Mira como **fluye** el agua sobre la presa.
Mira como **corre** el agua sobre la presa.

flower

I gave a **flower** to my teacher.
Flowers are pretty to look at and they smell nice.
There are many different kinds of **flowers.**
A tulip is a **flower.** A rose is a **flower.**

flor

Le di una **flor** a mi maestra.
Las **flores** son bonitas de mirar y huelen bien.
Hay muchas clases diferentes de **flores.**
El tulipán es una **flor.** La rosa es una **flor.**

---

fly(1)
flies
flying
flew
flown

Birds can **fly.**
Birds can **move their wings up and down** and **stay in the air.**

volar

Las aves pueden **volar.**
Las aves pueden **mover sus alas hacia arriba y hacia abajo y quedarse en el aire.**

---

fly(2)
flies

A **fly** is a **small insect** with wings.
A **fly** is not clean.

mosca

La **mosca** es un **insecto pequeño** que tiene alas.
La **mosca** no es higiénica.

F

fold

When I write a letter I **fold** it.
I **bend** one half of the paper over the other.

doblar

Después que escribo una carta la **doblo**.
Doblo una mitad de papel sobre la otra mitad.

foliage

In the autumn the **foliage** on the trees is beautiful.
In the autumn the **leaves** on the trees are beautiful.
The **foliage** turns bright red and orange.
The **leaves** turn bright red and orange.

follaje

El **follaje** de los árboles es hermoso en el otoño.
Las **hojas** de los árboles son hermosas en el otoño.
El **follaje** se pone rojo brillante y anaranjado.
Las **hojas** se ponen rojo brillante y anaranjadas.

follow

The dog likes to **follow** me.
The dog likes to **walk behind me.**

seguir

Al perro le gusta **seguirme**.
Al perro le gusta **carminar detrás** de mí.

fond

Mary is fond of the cat.
Mary **likes** the cat.

afectuoso (a)

María es **afectuosa** con el gato.
A María le **gusta** el gato.

---

food

We try to eat **food** that is good fór us.
When we eat dinner we eat **food.**

alimento

Tratamos de comer **alimentos** que sean buenos
para nosotros.
Cuando cenamos comemos nuestros **alimentos.**

---

foot
feet

I have a left **foot** and a right **foot.**
My two **feet** are at the bottom of my legs.
There is a small house at the **foot** of the hill.
There is a small house at the **base** of the hill.

Tengo un **pie** izquierdo y un **pie** derecho.
Mis dos **pies** están al final de mis piernas.
Hay una casita al **pie** de la loma.
pie
Hay una casita en la **base** de la loma.

F

forehead

The **forehead** is the part of the head above the eyes and below and the hair.

frente

La **frente** es la parte de la cara que está sobre los ojos y debajo del cabello.

---

forest

The **forest** is where **many trees** grow.

bosque

El **bosque** es donde crecen **muchos árboles**.

---

forget

forgets
forgetting
forgot
forgotten

Did you **forget** to brush your teeth?
Did you **not remember** to brush your teeth?

olividar

¿**Olvidaste** cepillarte los dientes?
¿**No recordaste** cepillarte los dientes?

forgive

forgives
forgiving
forgave
forgiven

perdonar

Please **forgive** me for stepping on your foot.
Please **don't be angry with me** for stepping on your foot.

Por favor, **perdóname** por haberte pisado su pie.
Por favor, **no te enojes conmigo** por haberte pisado tu pie.

---

fork

tenedor

We eat with a **fork.**

Comemos con un **tenedor.**

---

forward

If we move **forward** we move **ahead.**
The teacher said, "Take one step **forward.**"
The teacher said,
"Take one step **out in front.**"

adelante

Si nos movemos **hacia adelante, avanzamos.**
La maestra dijo: "Den un paso **adelante.**"
La maestra dijo: "Den un paso **al frente.**"

F

four

There are **four** seasons in the year.
The **four** seasons are winter, spring, summer and autumn.

cuatro

Hay **cuatro** estaciones en el año.
Las **cuatro** estaciones son: invierno, primavera, verano y otoño.

---

fox
foxes

A **fox** is an animal that looks like some dogs.
The **fox** has pointed ears and a bushy tail.

zorra

La **zorra** es un animal que se parece a algunos perros.
La **zorra** tiene orejas puntiagudas y una cola peluda.

---

free(1)
freer
freest

Will you come to the show if it is **free**?
Will you come to the show if it **costs nothing**?

gratis

¿Vendrás al espectáculo si es **gratis**?
¿Vendrás al espectáculo si **no necesitas pagar entrada**?

free(2)

Jane **freed** the bird.
Jane set the bird **loose**.

libertar

Juana **libertó** al pájaro.
Juana **soltó** al pájaro.

---

freeze
freezes
freezing
froze
frozen

When the weather is very cold the water will **freeze.**
When the water **freezes** it turns to ice.

congelar

Cuando el tiempo se enfríe el agua se **congelará.**
Cuando el agua se **congela** se convierte en hielo.

---

fresh

This bread is very **fresh.**
This bread **has just been baked.**

fresco (a)

Este pan está muy **fresco.**
Este pan **se acaba de hornear.**

Friday

Friday is a day of the week.
Friday is the **day before Saturday.**

viernes

El **viernes** es un día de la semana.
El **viernes** es el **día** que viene **antes que el sábado.**

F

friend

Bob is my **friend**.
A **friend** is a person that you like.
A **friend** is a person that you can trust.
Mary and Ann are **friends**.

amigo

Roberto es mi **amigo**.
Un **amigo** es una persona por quien tú sientes simpatía
Un **amigo** es una persona en quien puedes confiar.
María y Ana son **amigos**.

frighten

The storm did not **frighten** me.
The storm did not **make me afraid**.

asustar

La tormenta no me **asustó**.
La tormenta no me **hizo sentir miedo**.

frog

The **frog** is a small animal that can jump very far. He has strong back legs. The **frog** can live in the water or outside the water.

rana

La **rana** es un animalito que puede dar grandes saltos.
Tiene las patas traseras muy fuertes.
La **rana** puede vivir dentro o fuera del agua.

fruit

I like to eat **fruit**. **Fruit** is healthy.
There are many different kinds of **fruit**.
Oranges, apples, grapes, peaches and cherries are **fruits**.

fruta

Me gusta comer **frutas**. La **fruta** es sana.
Hay muchas clases de frutas. Las naranjas, las manzanas, las uvas, los duraznos y las cerezas son **frutas**.

fry

Mother will **fry** the fish.
She will **cook** the fish in a pan **on top of the stove.**

freir

Mi madre **freirá** el pescado.
Cocinará el pescado en una olla **sobre la estufa.**

---

function

How does the machine **function?**
How does the machine **work?**

funcionar

¿Cómo **funciona** la máquina?
¿Cómo **trabaja** la máquina?

---

furnace

We have a **furnace** in our basement.
The **furnace** is a **large stove** that keeps our house warm.
Our **furnace** burns oil.
Some **furnaces** burn coal.

estufa

Tenemos una **estufa** en el sótano.
La **estufa** es un **horno grande** que calienta nuestra casa.
Nuestra **estufa** trabaja con petróleo.
Algunas **estufas** trabajan con carbón.

---

furniture

People have **furniture** in their houses.
Tables, chairs, beds and **lamps** are **furniture.**

mueble

Las personas tienen **muebles** en su casa.
Las **mesas,** las **sillas,** las **camas** y las **lámparas** son **muebles.**

G

gain

Tom will not **gain** anything by being rude.
Tom will not **get** anything by being rude.

ganar

Tomás no **ganará** nada con ser rudo.
Tomás no **conseguirá** nada con ser rudo.

---

game

Football is a **game.**
Baseball is a **game.**

juego

El fútbol es un **juego.**
El béisbol es un **juego.**

---

garage

Father keeps the car in the **garage.**
The **garage** is a special room made just for the car.

garaje

Mi padre guarda su automóvil en el **garaje.**
El **garaje** es un lugar hecho especialmente para el automóvil.

garden

A **garden** is a **place where plants grow.**
We grow vegetables in a **garden.**

jardín

El **jardín** es el **lugar donde crecen las plantas.**
Cultivamos vegetales en el **jardín.**

---

garland

A **garland** of flowers is a **ring** of flowers.
Judy made a **garland** of daisies and put it on her head.
Judy made a **ring** of daisies and put it on her head.
A **garland** is also called a **wreath.**

guirnalda

Una **guirnalda** de flores es un **aro** de flores.
Julia hizo una **guirnalda** de margaritas y se la puso en la cabeza.
Julia hizo un **aro** de margaritas y se lo puso sobre la cabeza.
Una **guirnalda** es también llamada una **corona.**

---

gasoline

The car must have **gasoline** to make it go.
Father buys **gasoline** at the **gasoline** station.

gasolina

El auto debe tener **gasolina** para que camine.
Mi padre compra **gasolina** en la gasolinera.

G

gather
Mary will **gather** some flowers for the teacher.

recoger
María **recogerá** algunas flores para la maestra.

---

gentle
Judy has a **gentle** voice.
Judy has a **soft and kind** voice.

suave
Julia tiene una voz **suave**.
Julia tiene la voz **suave** y **dulce**.

---

giant
A **giant** is **large and strong**.
The large, strong man in the story was a **giant**.
When a tree is **very large** we sometimes call it a **giant**.

Un **gigante** es **grande y fuerte**.
El hombre grande y fuerte del cuento era un **gigante**.
Cuando un árbol es **muy grande** a veces le llamamos **gigante**.

gigante

gift

regalo

Sean gave Tim a **gift**.
Sean gave Tim a **present**.

Juan le dió un **regalo** a Timoteo.
Juan le dió un **presente** a Timoteo.

---

giraffe

The **giraffe** is an **animal** that has spots on his body.
The **giraffe** has long legs and a very long neck.
A **giraffe** can stand on the ground and eat leaves from tall trees.

girafa

La **girafa** es un **animal** que tiene manchas por el cuerpo.
La **girafa** tiene las patas largas y el cuello largo.
La **girafa** puede estar parada en el suelo y comer hojas de los árboles altos.

---

girl

niña

John is a boy and Mary is a **girl**.
When Mary grows up she will be a woman.

Juan es un niño y María es una **niña**.
Cuando María crezca se hará una mujer.

G

give

gives
giving
gave
given

Would you **give** me one of your pencils?
Would you **let me have** one of your pencils?
The lady at the store **gave** me gum.
She **did not let me pay** for the gum.

dar

¿Me **darías** uno de tus lápices?
¿Ne **dejarías tener** uno de tus lápices?
La señora de la tienda me **dió** goma de mascar.
No me dejó pagar por la goma de mascar.

---

glad

Jim is **glad** that his dog came home.
Jim is **happy** that his dog came home.

contento (a)

Jaime está **contento** porque su perro regresó a casa.
Jaime se siente **feliz** porque su perro regresó a casa.

---

glass(1)
vidrio

The window is made of **glass.**

La ventana se hace de **vidrio.**

glass(2)

glasses

We drink milk from a **glass.**

vaso

Bebemos leche en un **vaso.**

gnu

The **gnu** is a funny-looking **animal** that lives in Africa.
This is a **gnu.**

bucéfalo

El **bucéfalo** es un animal estraño que vive en el Africa.
Esto es un **bucéfalo.**

glove

A **glove** is worn on the hand.
The **gloves** keep our hands warm.

guante

El **guante** se usan en la mano.
Los **guantes** calientan nuestras manos.

G

go(1)

goes
going
went
gone

Let's **go** to the movies.

ir

Vamos **ir** al cine.

---

go(2)

goes
going
went
gone

What makes the car **go?**

funcionar

¿Qué es que hace el auto **funcionar?**

---

goat

A **goat** is an animal that lives on the farm.
The **goat** has horns and a beard.

cabra

La **cabra** es un animal que vive en una finca.
La **cabra** tiene cuernos y una barba.

gold

Gold is a beautiful yellow **metal**.
Mother has a watch made of **gold**.
I have a **gold** ring.

oro

El **oro** es un hermoso **metal** amarillo.
Mi madre tiene un reloj de **oro**.
Tengo un anillo de **oro**.

---

good
better
best

I eat vegetables because they are **good** for me.
I eat vegetables because they help **make me healthy**.
Jane is a **good** girl.
Jane is **not a bad** girl.

buen (a)

Como legumbres porque son **buenas** para mí.
Como legumbres porque me ayudan a **mantenerme sano**.
Juana es una niña **buena**.
Juana **no es** una niña **mala**.

---

goose
geese

A **goose** is a large **bird** that can swim.
A **goose** looks like a duck but it has a longer neck.
A **goose** is good to eat.

Un **ganso** es un **ave** grande que puede nadar.
Un **ganso** luce como un pato pero tiene el cuello más largo.
El **ganso** es bueno de comer.

ganso

G

gorilla

The **gorilla** is an **animal** that lives in Africa.
The **gorilla** walks and moves almost like a person.

gorila

El **gorila** es un **animal** que vive en Africa.
El **gorila** camina y se mueve casi como una persona.

grade
grado

Bob is in the first **grade** at school.

Roberto está en el primer **grado** en la escuela.

grain

My breakfast cereal is made from **grain.**
My breakfast cereal is made from corn.
Wheat is a **grain** and rice is a **grain** too.
A **tiny piece** of salt is a **grain** of salt.
A tiny piece of sand is called a **grain** of sand.

grano

Mi cereal del desayuno está hecho de **granos.**
El cereal del desayuno está hecho de maíz.
El trigo es un **grano** y el arroz es un **grano** también.
Una **pequeña porción** de sal es un **grano** de sal.
Una pequeña porción de arena es un **grano** de arena.

grandmother

Your mother's mother is your **grandmother**.
Your father's mother is your **grandmother** too.

abuela

La madre de tu mamá es tu **abuela.**
La madre de tu padre también es tu **abuela.**

---

grape

A **grape** is a **fruit.**
A **grape** is red, purple or green.
Grapes grow in bunches on a vine.

La **uva** es una **fruta.**
La **uva** es roja, violeta o verde.
Las **uvas** crecen en racimos en la parra.

uva

---

grass

We have **grass** in our yard.
Grass is a **plant** that covers our lawn.
Some animals eat **grass.**

hierba

Nosotros tenemos **hierba** en nuestro patio.
La **hierba** es una **planta** que cubre el suelo.
Algunos animales comen **hierba.**

G

great

The blue whale is a **great** animal.
The blue whale is the **biggest** animal in the world.

gran

La ballena azul es un **gran** animal.
La ballena azul es el animal **más grande** del mundo.

greedy

Please eat some pie but don't be **greedy.**
Please eat some pie but don't eat **more than your share.**

glotón

Por favor, come pastel pero no seas **glotón.**
Por favor, come pastel pero no comas **más de lo que debes.**

ground

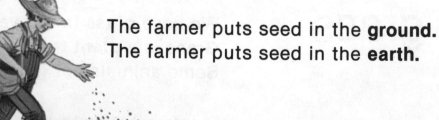

The farmer puts seed in the **ground.**
The farmer puts seed in the **earth.**

suelo

El campesino echa semillas en el **suelo.**
El campesino echa semilla en la **tierra.**

group

The teacher asked the children to move into a **group**.
The teacher asked the children to move **close together**.
Several people or **things together** are a **group**.

El maestro pidió a los niños que formaran un **grupo**.
El maestro le pidió a los niños que se pusieran **todos juntos**.
Varias personas o **cosas juntas** forman un **grupo**.

grupo

---

grow
grows
growing
grew
grown

When you **grow** you get larger.
The plant will **grow**. The animal will **grow**.

crecer

Cuando **creces** te pones más alto.
La planta **crecerá**. El animal **crecerá**.

---

guarantee

I **guarantee** that I will come to your party.
I **promise for sure** that I will come to your party.

Te **garantizo** que vendré a tu fiesta.
Yo **prometo con seguridad** que vendré a tu fiesta.

garantizar

G

guess(1)

adivinar

Can you **guess** the number?
Can you **think** of the right number?

¿Puedes **adivinar** el número?
¿Puedes **pensar** en el número correcto?

---

guess(2)

suponer

I **guess** you can do it.

Supongo que lo puedas hacer.

---

guest

huesped

Bill was a **guest** at John's house.
Bill was a **visitor** at John's house.
We had **guests** for lunch.
We had **company** for lunch.

Guillermo fue un **huésped** en la casa de Juan.
Guillermo fue un **invitado** en la casa de Juan.
Tuvimos **huéspedes** para el almuerzo.
Tuvimos **visita** para el almuerzo.

156

guide

Jane will **guide** you to Mary's house.
Jane will **show you the way** to Mary's house.

guiar

Juana les **guiará** hasta la casa de María.
Juana les **enseñará el camino** que les llevará a casa de María.

---

gum

The flesh around the base of my teeth is called a **gum.**

encía

La carne que cubre la parte inferior de mis dentes se llama **encía.**

---

gust

A **gust** of wind blew Tom's cap from his head.
A **sudden, strong rush of air** is called a **gust.**

Un **ventarrón** le llevó la gorra a Tomás de la cabeza.
Un **aire repentino y fuerte** se llama un **ventarrón.**

ventarrón

H

hair
Hair grows on a person's head.

cabello
El **cabello** crece en la cabeza de las personas.

---

half
halves

Jane broke the candy in **half.**
Jane broke the candy in **two pieces.**
Each piece was the same size.

mitad
Juan partió el dulce por la **mitad.**
Juan partió el dulce en **dos pedazos.**
Cada pedazo tenía el mismo tamaño.

---

hand
We use our **hand** to pick up things.
We have two **hands.**
There are five fingers on each **hand.**

mano
Usamos la **mano** para coger cosas.
Tenemos dos **manos.**
Cada **mano** tiene cinco dedos.

handkerchief

I carry a **handkerchief** in my pocket.
The **handkerchief** is a piece of cloth.
I blow my nose in the **handkerchief.**

pañuelo

Llevo un **pañuelo** en el bolsillo.
El **pañuelo** es un pedazo de tela.
Me soplo la nariz en el **pañuelo.**

---

handle

The cup has a **handle.**
This pan has a **handle.**
A **handle** is used for picking something up.

asa

La taza tiene un **asa.**
Esta cacerola tiene un **asa.**
El **asa** se usa para levantar algo.

---

handsome

Mary's father is **handsome.**

guapo (a)

El padre de María es **guapo.**

H

hang
hangs
hanging
hung
hung

We **hang** our clothes in the closet.

colgar

Colgamos la ropa en el armario.

---

happen

Did you see the accident **happen**?

suceder

¿Viste cómo **sucedió** el accidente?

---

happy
happier
happiest

The new bike made Tom **happy.**
The new bike made Tom **joyful!**
The new bike made Tom **very pleased!**

feliz

La nueva
bicicleta hizo **feliz** a Tomás.
La bicicleta nueva llenó de **alegría** a Tomás.
La nueva bicicleta puso **muy contento** a Tomás.

hard

Bill won the race but it was **hard** to do.
Bill won the race but it was **not easy** to do.
A rock is **hard.**
A rock is **not soft.**

duro (a)

Guillermo ganó la carrera, pero le fué **duro.**
Guillermo ganó la carrera, pero **no le fué fácil.**
La roca es **dura.**
La roca **no es blanda.**

---

hare

The **hare** is a rabbit.
The **hare** is larger than most rabbits.

liebre

La **liebre** es un conejo.
La **liebre** es más grande que la mayoría de los conejos.

---

harm

Please do not **harm** the cat.
Please do not **hurt** the cat.

dañar

Por favor no **dañes** al gato.
Por favor no **lastimes** al gato.

H

harmony

The people live in **harmony**.
The people are **peaceful and friendly**.
The group sings in **harmony**.
The group sings **together**.

armonía

Las personas viven en **armonía**.
Las personas son **pacientes y amistosas**.
El grupo canta con **armonía**.
El grupo canta **junto**.

hatch

The hen sits on the eggs to **hatch** them.
In three weeks chicks will **come out of** the eggs.

empollar

La gallina se echa sobre los huevos para **empollarlos**.
En tres semanas los pollitos **saldrán de** los huevos.

hate

Do you **hate** me?
Do you **dislike me very much**?

odiar

¿Me **odias**?
¿Me **aborreces mucho**?

have
has
having
had
had

tener

I **have** a new radio.
I **own** a new radio.

Yo **tengo** un radio nuevo.
Yo **poseo** un radio nuevo.

---

hay

heno

Hay is dried grass.
The farmer feeds **hay** to the cows.

El **heno** es hierba seca.
El campesino alimenta a las vacas con **heno.**

---

head

The **head** is the top part of our body.
The **head** is above our neck.
We have hair on the top of our **head.**
Bob is **head** in his class.
Bob is **first** in his class.

La **cabeza** es la parte superior de nuestro cuerpo.
La **cabeza** está encima del cuello.
Tenemos cabellos en la parte superior de la **cabeza.**
Roberto es la **cabeza** de su clase.
Roberto es el **primero** en su clase.

cabeza

H

hear

hears
hearing
heard
heard

oir

Did you **hear** the music?
Did you **listen to** the music?
We **hear** with our ears.

¿**Oíste** la música?
¿**Escuchaste** la música?
Oímos con nuestros oídos.

---

heart

corazón

The **heart** moves blood through my body and keeps me healthy.
Mary lives in the **heart** of the city.
Mary lives in the **center** of the city.

El **corazón** hace que la sangre me circule por el cuerpo y me mantenga sano.
María vive en el **corazón** de la ciudad.
María vive en el **centro** de la ciudad.

---

heat

calentar

Mother will **heat** the soup by putting it over the fire.
Mother will **make the soup hot** by putting it over the fire.

Mi madre **calentará** la sopa poniéndola al fuego.
Mi madre **hará que la sopa se caliente** poniéndola al fuego.

heavy
heavier
heaviest

The basket of apples is **heavy**.
The basket of apples is **hard to lift**.

pesado (a)

La cesta de manzanas está **pesada**.
Es **dificil levantar** la cesta de manzanas.

---

heel(1)

Your **heel** is the back part of your foot.

talón

El **talón** es la parte de atrás de tu pie.

---

heel(2)

The **heel** of your shoe is the raised part of the shoe.

tacón

El **tacón** es la parte elevada del zapato.

H

help
ayudar

I will **help** my mother clean the house.

Le **ayudaré** a mi madre a limpiar la casa.

---

hemisphere

Half of our earth is a **hemisphere.**
We divide the earth into four **hemispheres.**
Northern, Southern, Eastern, and Western are the four **hemispheres.**

 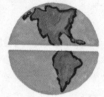

hemisferio

La mitad de nuestra tierra es un **hemisferio.**
Dividimos la tierra en cuatro **hemisferios.**
Los cuatro **hemisferios** son: Austral, Boreal, Oriental y Occidental.

---

hen

The **hen** is a mother chicken.
The **hen** will lay eggs.

gallina

La **gallina** es la madre del pollo.
La **gallina** pondrá huevos.

her

Her dress is pretty.

su

Su vestido es bonito.

---

here

Please meet me **here** tomorrow.
Please meet me **at this place** tomorrow.

aquí

Por favor, encuéntrame **aquí** mañana.
Por favor, encuéntrame **en este lugar** mañana.

---

hide
hides
hiding
hid
hidden

The dog is digging a hole to **hide** his bone in.
The dog is digging a hole to **put** his bone **out of sight.**

El perro abre un hueco para **esconder** su hueso.
El perro abre un hueco para **poner** su hueso **fuera de la vista.**

esconder

H

high

high
higher
highest

The building is very **high.**

alto (a)

El edificio es muy **alto.**

---

hill

Jack and Jill went up the **hill.**
The **hill** is a piece of land that is higher than the land around it.

loma

Juan y Juanita subieron la **loma.**
Una **loma** es un pedazo de tierra más elevada que otra que la rodea.

---

his

Bill is riding **his** pony.
Bill **owns** the pony.

su

Guillermo está montando **su** caballito.
Guillermo **es dueño** del caballito.

hit
hits
hitting
hit
hit

Did the red car **hit** the blue car?
Did the red car **bump** the blue car?

golpear

¿El automóvil rojo **golpeó** al azul?
¿El automóvil rojo le **pegó** al azul?

---

hive

The bees live in a **hive.**
The bees live in a small house which is called a bee**hive.**

colmena

Las abejas viven en una **colmena.**
Las abejas viven en unas casitas llamadas **colmenas.**

---

hold
holds
holding
held
held

Would you **hold** the baby?
Would you **keep** the baby **in your hands and arms?**

aguantar

¿**Aguantarías** al bebé?
¿**Tendrías** al bebé **en tus brazos?**

H

hole

Bill has a **hole** in his shoe.
Bill has an **opening** in his shoe and he can **see** through it.

hueco

Guillermo tiene un **hueco** en el zapato.
Guillermo tiene una **rotura** en el zapato y ver a través de ella.

home

I must go **home** after school.
I must go to the **place where I live** after school.
The rabbit lives in a **den.**
The **den** is the rabbit's **home.**

casa

Debo ir para mi **casa** después de la escuela.
Debo ir a **donde vivo** cuando salga de la escuela.
Los conejos viven en una **madriguera.**
La madriguera es la **casa** del conejo.

honest

Mary is **honest.**
Mary **will not lie or steal.**
You can trust Mary.

honrado (a)

María es **honrada.**
María **no mentirá ni robará.**
Puedes confiar en María.

hoop

Jim likes to roll the **hoop**.
The hoop is a **metal ring**.

aro

A Jaime le gusta rodar el **aro**.
El aro es un **círculo de metal**.

---

hop

The frog can **hop** very far.

saltar

La rana puede **saltar** muy lejos.

---

horn(1)

We make music with a **horn**.
We blow into one end of the **horn** and the sound comes out the other end.

corneta

Tocamos música con una **corneta**.
Soplamos por un lado de la **corneta** y el sonido sale por el otro.

H

horn(2)
The cow has **horns** on her head.

cuerno
La vaca tiene **cuernos** en su cabeza.

---

horse
A **horse** is an animal.
The **horse** is strong and can pull a wagon.
The **horse** can run very fast.
A cowboy rides on the back of a **horse**.
The children are riding a **horse**.

caballo
El **caballo** es un animal.
El **caballo** es fuerte y puede tirar de un carro.
El **caballo** puede correr muy rápido.
El vaquero monta a **caballo**.
Los niños montan a **caballo**.

---

hose
Father uses a **hose** to water the lawn.
The **hose** is a long rubber tube and water passes through it.

Mi padre usa una **manguera** para regar el césped.

manguera
La **manguera** es un tubo largo de goma por donde pasa el agua.

172

hospital

We go to the **hospital** when we are sick.
The **hospital** is a building where doctors and nurses work.

hospital

Vamos al **hospital** cuando nos enfermamos.
El **hospital** es un edificio donde trabajan médicos y enfermeras.

---

hot
hotter
hottest

Don't touch the **hot** stove. It will burn you.

caliente

No toques la estufa **caliente.** Te quemará.

---

hour

One **hour** is sixty minutes.
One **hour** is when the big hand goes around the clock one time.
There are twenty-four **hours** in a day.

Una **hora** tiene sesenta minutos.
Cuando el minutero le ha dado la vuelta al reloj ha pasado una **hora.**
Un día tiene veinticuatro **horas.**

hora

H

how

Please tell me **how** to get to your house.
The doctor said, "**How** do your feel?"

como

Por favor dime **como** llegar a tu casa.
El doctor dijo: "**Cómo** te sientes?"

---

hug

Caroline gave her father a **hug.**
Caroline put her **arms around** her father and **held him tight.**

abrazo

Carolina le dió un **abrazo** a su padre.
Carolina le **echó los brazos** al cuello a su padre y **lo apretó contra ella.**

---

huge

The elephant is **huge.**
The elephant is **very large.**

gigantesco (a)

El elefante es **gigantesco.**
El elefante es **muy grande.**

hump　　　The camel has a **hump** on his back.

joroba　　　El camello tiene una **joroba** en el lomo.

---

hungry

hungrier
hungriest

The baby is **hungry**.
The baby **wants to eat something**.
When the baby's stomach feels empty she becomes **hungry**.

hambriento

El bebé está **hambriento**.
El bebé **quiere comer algo**.
La bebita siente **hambre** cuando tiene el estómago vacío.

---

hurry

Mother said, "Please **hurry** home."
Mother said, "Please come home as **fast as you can**."

apresurarse

Mi madre me dijo: "Por favor, **apresúrate** a casa."
Mi madre me dijo: "Por favor, ven a casa **tan rápido como puedas**."

hurt

hurts
hurting
hurt
hurt

Did you **hurt** your leg?
Do you **feel pain** in your leg?
You must not **hurt** the dog.
You must not **harm** the dog.

lastimar

¿**Te lastimaste** la pierna?
¿**Sientes dolor** en la pierna?
No debes **lastimar** al perro.
No debes **hacerle daño** al perro.

---

hush

The teacher told the class to **hush**.
The teacher told the class to **keep quiet**.

callar

La maestra le pidió a la clase que **callara**.
La maestra le pidió a la clase que **guardara silencio**.

---

hydrant

When there is a fire the fireman connects the hose to the fire **hydrant**.
Water comes out of the **hydrant**.

boca de riego

Cuando hay un fuego los bomberos conectan la manguera a la **boca de riego**.
El agua sale de la **boca de riego**.

ice

When water becomes very cold it turns to **ice.**
We skate on the pond when the water freezes and
turns to **ice.**

hielo

Cuando el agua se enfría mucho se convierte en
hielo.
Patinamos en el estanque cuando el agua se
congela y se convierte en **hielo.**

---

idea

I have an **idea** the kitten is lost.
I **think** the kitten is lost.

idea

Tengo la **idea** que el gatito se perdió.
Creo que el gatito se perdió.

---

identical

The two dolls are **identical.**
The two dolls are **the very same.**
They are **exactly alike.**

idéntico (a)

Las dos muñecas son **idénticas.**
Las dos muñecas son **iguales.**
Son **exactamente iguales.**

I

igloo

The Eskimos live in an **igloo.**
The Eskimos live in **houses made of snow blocks.**
This is an **igloo.**

iglú

El esquimal vive en un **iglú.**
Los esquimales viven en **casas hechas de bloques de hielo.**
Este es un **iglú.**

---

ill
enfermo (a)

Tom is ill today.

Tomás está **enfermo** hoy.

---

impolite

Jane was **impolite** to her brother.
Jane was **not polite** to her brother.
Jane was **rude** to her brother.

descortés

Juana fué **descortés** con su hermano.
Juana **no fué educada** con su hermano.
Juana fué **ruda** con su hermano.

increase

When it rains the pond will **increase** in size.
When it rains the pond will **become larger**.
Please **increase** the sound on the radio.

aumentar

Cuando llueva, el estanque **aumentará** de tamaño.
Cuando llueva, el estanque **se agrandará**.
Por favor, **auméntale** el sonido al radio.

---

indeed

Bill is happy **indeed** with his new bike.
Bill is **really** happy with his new bike.

verdaderamente

Guillermo se siente **verdaderamente** feliz con su bicicleta nueva.
Guillermo está **realmente** feliz con su nueva bicicleta.

---

inflammable

When something is **inflammable** it is **easy to set on fire**.
Gasoline is **inflammable**.
Matches are **inflammable**.

Cuando algo es **inflamable** es **fácil que coja fuego**.

inflamable

La gasolina es **inflamable**.
Los fósforos son **inflamables**.

I

ink

Ink is a **colored** liquid.
When we write with a pen we use **ink**.
All of the pictures in this book are made from different-colored **inks**.

tinta

La **tinta** es un líquido de **color**.
Usamos **tinta** cuando escribimos con una pluma.
Todas las ilustraciones de este libro están hechas con diferentes **tintas** de colores.

---

insect

An **insect** is a small **bug**.
A **bee** is an **insect**. A **fly** is an **insect**.

insecto

Un **insecto** es un **animalito** pequeño.
Una **abeja** es un **insecto**. Una **mosca** es un **insecto**.

---

inside

The horse is **inside** the stable.
The horse is **not outside** the stable.

dentro

El caballo está **dentro** del establo.
El caballo **no está fuera** del establo.

instead

Mary ate cookies **instead** of the candy.
Mary ate cookies **in place** of the candy.

en lugar de

María comió galleticas **en lugar de** bombones.
María comió galleticas **en vez de** bombones.

---

into

Please don't go **into** the cave alone.

dentro

Por favor, no vayas solo **dentro** de la cueva.

---

invite

Did you **invite** Ann to your party?
Did you **ask Ann to come** to your party?

invitar

¿**Invitaste** a Ana a tu fiesta?
¿Le **pediste a Ana que viniera** a tu fiesta?

I

iron(1)

Iron is a hard, strong metal.
The lion's cage is made of iron bars.

hierro

El hierro es un metal duro y fuerte.
La juala de los leones está hecha de barras de hierro.

---

iron(2)

My mother uses an iron to press my clothes.

plancha

Mi madre usa una plancha para alisar mis ropas.

---

island

We had to go in a boat to reach the island.
The island is a piece of land with water all around it.

isla

Tuvimos que ir en un bote para llegar a la isla.
Una isla es un pedazo de tierra rodeada de agua.

jacket

Tom wore his **jacket** to school.
Tom wore his **short coat** to school.

chaqueta

Tomás usó su **chaqueta** para ir a la escuela.
Tomás usó su **abrigo corto** para ir a la escuela.

---

jail

When people do bad things they are put in **jail**.
The **jail** is a building with bars on the windows
and doors.

cárcel

Cuando las personas hacen cosas malas van a la
cárcel.
La **cárcel** es un edificio con barras en las ven-
tanas y en las puertas.

---

jam

Jam is good on bread.
Mother makes **jam** from different kinds of fruit.

mermelada

La **mermelada** es buena con pan.
Me madre hace **mermelada** de distintas clases de
frutas.

joke

The teacher told the children a **joke**.
The teacher told the children a **funny story**.

chiste

El maestro le dijo un **chiste** a los niños.
El maestro le hizo a los niños un **cuento gracioso**.

---

jolly

jollier
jolliest

The man is very **jolly**.

alegre

El hombre es muy **alegre**.

---

journey
viaje

Father is going on a **journey**.

Mi padre se va de **viaje**.

joy

Our visit brought **joy** to Grandmother.
Our visit made Grandmother **very happy.**

alegría

Nuestra visita le dió **alegria** a la abuela.
Nuestra visita hizo a la abuela **muy feliz.**

judge

Ann knows how to **judge** art.
Ann knows if the art is **good or bad.**

juzgar

Ana sabe **juzgar** obras de arte.
Ana sabe si un trabajo de arte es **bueno o malo.**

juice

Juice is the liquid part of a plant, fruit
or vegetable.
I like orange **juice.** I also like tomato **juice.**

jugo

El **jugo** es la parte líquida de una planta, de una
fruta o de un vegetal.
Me gusta el **jugo** de naranja y también el **jugo** de
tomate.

J

jump

The horse can **jump** over the fence.
The horse can **leap** over the fence.

saltar

El caballo puede **saltar** sobre la cerca.
El caballo puede **brincar** sobre la cerca.

---

just(1)

It is **just** one o'clock.
It is **exactly** one o'clock.

justamente

Es **justamente** la una en punto.
Es **exactamente** la una en punto.

---

just(2)

Did you think the teacher's decision was **just**?
Did you think the teacher's decision was **fair and correct**?

justo (a)

¿Crees que la decisión del maestro fue **justa**?
¿Crees que la decisión del maestro fue **correcta y apropiada**?

kayak

A **kayak** is an Eskimo **canoe**.
This is a **kayak.**

kayac

El **kayac** es la **canoa** de los esquimales.
Este es un **kayac.**

keep

keeps
keeping
kept
kept

I will **keep** Tom's dog this week.
I will **take care of** Tom's dog this week.

cuidar

Yo **cuidaré** el perro de Tomás esta semana.
Yo **velaré** por el perro de Tomás esta semana.

kettle

Mother boils water in a tea **kettle.**

tetera

Mi madre hierve agua en la **tetera.**

K

key

We turn the **key** to lock our door.
We turn the **key** to unlock our door.

llave

Volteamos la **llave** para cerrar nuestra puerta.
Volteamos la **llave** para abrir la puerta.

---

kick

Bill likes to **kick** the football.
Bill likes to **hit** the football **with his foot.**

patada

A Guillermo le gusta **patear** la pelota.
A Guillermo le gusta **golpear** la pelota **con el pie.**

---

kill

Jane saw the cat **kill** a bird.

matar

Juana vió al gato **matando** a un pájaro.

kind(1)

Mother is **kind** to the baby.
Mother is **gentle and nice** to the baby.

cariñoso (a)

La madre es **cariñosa** con el nené.
La madre es **suave y delicada** con el nené.

---

kind(2)

What **kind** of ice cream do you want?
What **sort** of ice cream do you want?

clase

¿Qué **clase** de helado quieres?
¿Qué **tipo** de helado quieres?

---

king

Some countries have a **king** to lead the people.
Some countries have a president to lead the people.

rey

Algunos países tienen un **rey** para guiar al pueblo.
Algunos países tienen un presidente para guiar al pueblo.

K

kiss

Mary gave the baby a **kiss** on the cheek.
Mary **touched her lips to the baby's cheek.**

beso

María le dió un **beso** en la mejilla al nené.
Maria **tocó con sus labios la mejilla del nené.**

---

kitchen

I help my mother in the **kitchen.**
I help my mother in the **room where we cook food.**

cocina

Yo ayudo a mi madre en la **cocina.**
Yo ayudo a mi madre en el **lugar donde cocinamos.**

---

kite

Bob likes to fly a **kite.**
The wind keeps the **kite** in the air.

cometa

A Roberto le gusta elevar la **cometa.**
El viento mantiene la **cometa** en el aire.

kitten

Jane let me hold the **kitten.**
Jane let me hold the **baby cat.**

gatito

Juana me dejó cargar el **gatito.**
Juana me dejó cargar el **gato pequeño.**

---

knee

Your **knee** is the **joint** in the middle of your leg.
Your leg bends at the **knee.**

rodilla

La **rodilla** es la **articulación** que está en la mitad de las piernas.
La pierna se dobla por la **rodilla.**

---

knife
knives

We cut our food with a **knife.**
The **knife** has a handle and sharp blade.
There are many different kinds of **knives.**

cuchillo

Cortamos nuestros alimentos con un **cuchillo.**
El **cuchillo** tiene un cabo y una hoja afilada.
Hay muchas clases de **cuchillos.**

K

knock

John **knocked** at the door.

golpear

Juan **golpeó** la puerta.

---

know(1)
knows
knowing
knew
known

I **know** that Ann is at the door.
I am sure that Ann is at the door.

saber

Yo **sé** que Ana está en la puerta.
Yo **estoy seguro** que Ana está en la puerta.

---

know(2)
knows
knowing
knew
known

Do you **know** Ann?
Have you met Ann?

conocer

¿**Conoces** a Ana?
¿**Encontraste** a Ana?

laboratory

laboratories   A **laboratory** is a room or building where people work and discover new things.

laboratorio

Un **laboratorio** es un local o edificio donde las personas trabajan para descubrir cosas nuevas.

---

lace(1)

Can you **lace** your shoe?

atar

¿Te puedes **atar** los zapatos?

---

lace(2)

The **lace** is a **string** that ties your shoe.

lazo

El **lazo** es el **cordón** que ata tu zapato.

L

ladder

My father uses **a ladder** when he paints the house.
The **ladder** is a set of steps that my Father walks up to reach high places.

escalera

Mi padre usa una **escalera** cuando pinta la casa.
La **escalera** es un conjunto de escalones que mi padre sube para alcanzar lugares altos.

---

lady
ladies

The **lady** is a kind and polite **woman.**
My mother is a **lady.**

dama

La **dama** es una **mujer** bondadosa y cortés.
Mi madre es una **dama.**

---

lake

We ride a boat on the **lake.**

lago

Montamos el bote en el **lago.**

lamb   A baby sheep is a **lamb.**

cordero   Una ovejita es un **cordero.**

---

lamp

I have a **lamp** near my bed.
I turn the **lamp** on when I read.
The **lamp** gives light.

lámpara

Tengo una **lámpara** cuando leo.
La **lámpara** alumbra.

---

land(1)   The turtle can live on **land** but he likes the water.

tierra   La tortuga puede vivir en la **tierra,** pero le gusta el agua.

195

L

land(2)

I like to watch the airplane **land.**
I like to watch the airplane **come down and touch the ground.**

aterrizar

Me gusta mirar como **aterriza** el avión.
Me gusta mirar como el avión **baja y toma tierra.**

---

lantern

The farmer carries a **lantern** to the barn.

linterna

El campesino lleva la **linterna** al granero.

---

large
larger
largest

The elephant is a **large** animal.

grande

El elefante es un animal **grande.**

last

Tom is **last** in line.
Tom is **at the end** of the line.
Jane took the **last** piece of candy.

último (a)

Tomás es el **último** de la fila.
Tomás está **al final** de la fila.
Juana cogió el **último** caramelo.

---

late

later
latest

Bill was **late** for school.
Bill came **after the time** he should have been in school.

tarde

Guillermo llegó **tarde** a la escuela.
Guillermo llegó **después de la hora** de entrada.

---

laugh

When we hear a funny story we **laugh.**
The children are watching the clown and they are **laughing.**

reir

Cuando oímos un cuento cómico nos **reímos.**
Los niños están mirando al payaso y se están **riendo.**

L

law

A **law** tells us what to do.
We have **laws** in our country.
We have **rules** in our country.
We should obey the **law.**

ley

La **ley** nos dice qué hacer.
Existen **leyes** en nuestro país.
Existen **reglas** en nuestro país.
Debemos obedecer la **ley.**

---

lawn

The **lawn** is the **ground** around our house which is
covered with grass.
Father mows the **lawn.**

césped

El **césped** es la **tierra cubierta de hierba** que rodea
nuestra casa.
Mi padre corta el **césped.**

---

lay

lays
laying
laid
laid

Did you **lay** your coat on the table?
Did you **put** your coat on the table?
Birds **lay** eggs.
Tom **laid** his coat on the table.
Tom **placed** his coat on the table.

¿**Pusiste** tu saco sobre la mesa?
¿**Colocaste** tu chaqueta sobre la mesa?
Las aves **ponen** huevos.
Tomás **puso** su saco sobre la mesa.
Tomás **colocó** su chaqueta sobre la mesa.

poner

lazy
lazier
laziest

A **lazy** person is a person that **does not want to work.**

perezoso (a)

A la persona **perezosa** no le gusta trabajar.

lead(1)

Would you **lead** me to the lunchroom?
Would you **guide** me to the lunchroom?
I would like to **lead** the band.
I would like to **conduct** the band.

dirigir

¿Te gustaría **dirigirme** al comedor?
¿Me **guiarías** hasta el comedor?
Me gustaría **dirigir** la banda.
Me gustaría **conducir** la banda.

lead(2)

Lead is a heavy metal.

plomo

El **plomo** es un metal pesado.

L

leaf
leaves

The wind blew a **leaf** from the tree.
There are many **leaves** on the tree.
Most plants have **leaves.**
A page of this book is called a **leaf.**

hoja

El viento desprendió una **hoja** del árbol.
Hay muchas **hojas** en el árbol.
La mayoría de las plantas tienen **hojas.**
Una página de este libro es una **hoja.**

---

lean(1)

The teacher said, "Please don't **lean** on the desk."
The teacher said, "
Please don't **bend** over and **rest your elbows on the desk."**

apoyarse

El maestro dijo: "Por favor no **se apoyen** en el pupitre."
El maestro dijo: "Por favor no se **inclinen** y no **pongan los codos sobre el pupitre."**

---

lean(2)

This meat is very **lean.**
This meat **has no fat.**

magro (a)

La carne es muy **magra.**
La carne **no tiene gordura.**

leap
leaps
leaping
leapt
leapt

Bill can **leap** over the fence.
Bill can **jump** over the fence.

saltar

Guillermo puede **saltar** la cerca.
Guillermo puede **brincar** la cerca.

---

learn

I must **learn** to read well.
I must **find out how** to read well.

aprender

Debo **aprender** a leer bien.
Debo **encontrar la manera** de leer bien.

---

leave
leaves
leaving
left
left

What time will the train **leave** the station?

partir

¿A qué hora **partirá** el tren de la estación?

L

lecture

The teacher gave a **lecture** to the class about health.

conferencia

La maestra le dió una **conferencia** a la clase sobre la salud.

---

left

Most people write with the right hand but some people write with their **left** hand.
Our **left** hand is on the **left** side of our body.

izquierdo (a)

La mayoría de las personas escriben con la mano derecha mientras otros escriben con la mano **izquierda.**
Tenemos la mano **izquierda** en el lado **izquierdo** del cuerpo.

---

lemon

A **lemon** is a **fruit.**
The **lemon** is yellow and tastes sour.
We make **lemon**ade from **lemon** juice, water and sugar.

El **limón** es una fruta.
El **limón** es amarillo y tiene sabor ácido.
Hacemos la **limonada** con zumo de **limón,** agua y azúcar.

limón

less
little
less
least

Jane has **less** money than Betty.
Jane **does not have as much** money as Betty.

menos

Juana tiene **menos** dinero que Isabel.
Juana **no tiene tanto** dinero como Isabel.

---

letter(1)

I wrote a **letter** to my grandmother.
I put the **letter** in an envelope and mailed it to my grandmother.

carta

Escribí una **carta** a mi abuela.
Puse la **carta** en un sobre y la envié a mi abuela por correo.

---

letter(2)

A is a **letter** of the alphabet.
B is a **letter** of the alphabet.

letra

La "A" es una **letra** del alfabeto.
La "B" es una **letra** del alfabeto.

L

library
libraries

The **library** is a place where books are kept.
We go to the **library** to get books.
After we read the books we return them to the **library**.

biblioteca

La **biblioteca** es un lugar donde se guardan muchos libros.
Devolvemos los libros a la **biblioteca** después que los hemos leido.

lick

When the dog eats his food he will **lick** the dish.
The dog uses his tongue to get all of the food out of the dish.

lamer

El perro **lame** el plato cuando come.
El perro usa la lengua para sacar toda la comida del plato.

lid

The box has a **lid** on it.
The box has a **cover** on it.

tapa

La caja tiene una **tapa**.
La caja tiene una **cubierta**.

lie(1)
lies
lying
lay
lain

Please don't **lie.**
Please don't tell **something that is not true.**

mentir
Por favor, no **mientas.**
Por favor, no **digas lo que no es cierto.**

---

lie(2)
Francis likes to **lie** on the grass.

echarse
A Francisco le gusta **echarse** sobre el césped.

---

life
lives

Anything that lives has **life.**
A plant has **life.**

vida
Todo lo que vive tiene **vida.**
Una planta tiene **vida.**

L

lift

Can you **lift** the box?
Can you **pick up** the box?

levantar

¿Puedes **levantar** la caja?
¿Puedes **alzar** la caja?

---

light(1)

At night we turn on the lamp.
The lamp makes **light** so that we can see.

luz

Por la noche ascendemos la lámpara.
La lámpara hace **luz** para que veamos.

---

light(2)

This box is **light.**
This box is **not heavy.**

ligero (a)

Esta caja es **ligera.**
Esta caja **no es pesada.**

light(3)

Jane's hair is a **light** color.
Jane's hair is **not** a **dark** color.

claro (a)

El pelo de Juana es **claro.**
El pelo de Juana **no es oscuro.**

---

lightning

Sometimes when there is a storm we see
lightning in the sky.
The lightning is caused by **electricity** in the sky.

relámpago

Algunas veces, cuando hay una tormenta, vemos
relámpagos en el cielo.
El relámpago causa la **electricidad** en el cielo.

---

like

Did you **like** the movie?
Did you **enjoy** the movie?
I **like** my new dress.
I **am happy with** my new dress.

¿Te **gustó** la película?
¿**Disfrutaste** la película?
Me **gusta** el vestido nuevo.
Me **siento feliz con** mi vestido nuevo.

gustar

L

limb

The bird built a nest on the **limb** of the tree.

rama

El pájaro construyó su nido en la **rama** del árbol.

---

line

The teacher said, "Please get in **line**."
The teacher said, "Please get in a **row**".
A telephone **line** is connected to the telephone.
A telephone **wire** is connected to the telephone.
Do you see the red **lines** on this page?

línea

La maestra dijo: "Por favor pónganse en **línea**."
La maestra dijo: "Por favor pónganse en **fila**."
La línea telefónica está conectada al teléfono.
El **alambre** está conectado al teléfono.
¿Ves las **líneas** rojas en esta página?

---

lion

The **lion** is a **wild animal.**
The **lion** eats meat.
I saw a **lion** at the zoo.
El **león** es un **animal salvaje.**
El **león** come carne.
Vi un **león** en el zoológico.

lip(1)

We have an upper **lip** and a lower **lip**.
The **lips** are part of our mouth.

labio

Tenemos un **labio** superior y un **labio** inferior.
Los **labios** son parte de nuestra boca.

---

lip(2)

A glass has a **lip**.

borde

El vaso tiene un **borde**.

---

list

I wrote a **list** of names on the paper.

lista

Escribí una **lista** de nombres en el papel.

L

listen

You should **listen** to what the teacher is saying.
You should **pay attention** to what the teacher is saying.
Mary likes to **listen** to good music.

escuchar

Debieras **escuchar** lo que dice la maestra.
Debieras **prestar atención** a lo que dice la maestra.
A María le gusta **escuchar** buena música.

little
littler
littlest

Tom has a **little** brother.

pequeño (a)

Tomás tiene un hermano **pequeño.**

live

I feed the kitten so that it will **live.**
Where do you **live?**
I **live** in a house.
When we go camping we **live** in a tent.

¿Dónde **vives?**
Vivo en una casa.
Cuando acampamos en el bosque **vivimos** en una tienda.
Alimento al gatito para que **viva.**

vivir

load(1)

The truck brought a **load** of sand.
The truck brought a **pile** of sand.

carga

El camión trajo una **carga** de arena.
El camión trajo un **montón** de arena.

---

load(2)

I watched the men **load** the truck.
I watched the men **fill** the truck.

cargar

Miré como los hombres **cargaban** el camión.
Miré como los hombres **llenaban** el camión.

---

location

My school is in this **location**.
My school is in this **place**.
My house is in another **location**.
My house is in another **place**.

sitio

Mi escuela está en este **sitio**.
Mi escuela está en este **lugar**.
Mi casa está en otro **sitio**.
Mi casa está en otro **lugar**.

L

lock
llavear

We **lock** the door at night.

Llaveamos la puerta por la noche.

---

log

Bill put a **log** on the fire.
The **log** will burn and make the room warm.
The **log** is a piece of a tree.
A **log** cabin is a small house made with **logs.**

tronco

Guillermo puso un **tronco** a arder.
El **tronco** arderá y calentará la habitación.
El **tronco** es parte de un árbol.
Una cabaña de **troncos** es una casita hecha de **troncos** de árboles.

---

look(1)
buscar

Caroline will **look** for the book.

Carolina **buscará** el libro.

look(2)
ser

The flowers **look** beautiful.

Las flores **son** hermosas.

---

look(3)
mirar

The dogs **look** at each other.

Los perros se **miran** uno al otro.

---

loose
looser
loosest

The chain on Bill's bike is **loose**.
The chain on Bill's bike is **not tight**.
The dog is **loose**.
The dog is **free** and **not tied up**.

suelto (a)

La cadena de la bicicleta de Guillermo está **suelta**.
La cadena de la bicicleta de Guillermo **no está ajustada**.
El perro está **suelto**.
El perro está **libre y sin amarras**.

---

lose
loses
losing
lost
lost

Jane does not want to **lose** her cat.
John **lost** the race.
John **did not win** the race.

perder

Juana no quiere **perder** su gato.
Juan **perdió** la carrera.
Juan **no ganó** la carrera.

L

loud
alto (a)

The bell makes a **loud** sound.

La campana suena **alto**.

low

The bird is flying **low**.
The bird is flying **near the ground**.
Father has a **low** voice.
Mother has a high voice.

bajo (a)

El pájaro vuela **bajo**.
El pájaro vuela **cerca de la tierra**.
Mi padre tiene la voz **baja**.
Mi madre tiene la voz alta.

lullaby
lullabies

A **lullaby** is a **soft and tender song**.
Mother sings a **lullaby** to make the baby sleep.
The **lullaby** will lull the baby to sleep.

canto de cuna

Un **canto de cuna** es una **canción suave y tierna**.
Mi madre le cantó un **canto de cuna** al bebé para
que se durmiera.
El **canto de cuna** hará que el bebé se duerma.

lunch
lunches

In the middle of the day we have **lunch**.
Lunch is the **meal** that we have at noontime.

almuerzo

Almorzamos al mediodía.
El **almuerzo** es **lo que comemos** al mediodía.

mad
madder
maddest

The man in the movie was **mad.**

loco (a)

El hombre de la película estaba **loco.**

---

magic

The man on TV pulled rabbits out of his hat.
That was **magic.**
It was a **trick** that I did not understand.

magia

Un hombre en la televisión sacó conejos de su sombrero.
Eso es **magia.**
Eso fue un **truco** que no entendí.

---

magnify

To **magnify** something is to make it appear larger.
My father's glasses will **magnify** the letters in the book.
My father's glasses will make the letters **look larger** and easier to read.
People use a telescope to **magnify** the stars.

aumentar

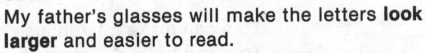

Aumentar algo es hacer que eso luzca mayor.
Los lentes de me padre **aumentarán** las letras del libro.
Los lentes de me padre harán que las letras **parezcan mayores** y que sean más fáciles de leer.
Alguna gente usa un telescopio para **aumentar** la visión de las estrellas.

M

mail
correo

The postman brings us **mail**.
The postman brings us **letters**.

El cartero nos trae el **correo**.
El cartero nos trae las **cartas**.

---

main
principal

The **main** thing is to stay healthy.
The **most important** thing is to stay healthy.
When does the **main** show start?
When does the **most important** show start?

Lo **principal** es que nos mantengamos sanos.
Lo **más importante** es que estemos sanos.
¿Cuándo comienza el espectáculo **principal**?
¿Cuándo comienza el espectáculo **más importante**?

---

make
makes
making
made
made

hacer

Tom can **make** a birdhouse.
Tom can **build** a birdhouse.
The children sell lemonade to **make** money.
The children sell lemonade to **earn** money.

Tomás puede **hacer** una pajarera.
Tomás puede **construir** una pajarera.
Los niños venden limonada para **hacer** dinero.
Los niños venden limonada para **ganar** dinero.

216

man
men

When a boy grows up he becomes a **man**.
My brother is a boy. My father is a **man**.

hombre

Cuando un niño crece se convierte en un **hombre**.
Mi hermano es un muchacho. Mi padre es un **hombre**.

---

manners

Jane has nice **manners**.
Jane has a nice **way of saying and doing things**.

modales

Juana tiene buenos **mcdales**.
Juana tiene una **manera agradable de decir y hacer las cosas**.

---

many

There are **many** fish in the pond.
There is a **large number** of fish in the pond.

muchos (as)

Hay **muchos** peces en el estanque.
Hay **gran número** de peces en el estanque.

---

map

My father uses a **map** when we take a trip.
The **map** shows where the roads are.
The **map** shows which city and state we are in.
Mi padre usa un **mapa** cuando vamos de viaje.
El **mapa** nos enseña donde están los caminos.

mapa

El **mapa** nos enseña la ciudad y el estado en que estamos.

M

March

March is the third month of the year.

marzo

Marzo es el tercer mes del año.

---

march

The children **march** in the parade.
The children **walk in step** with each other.

marchar

Los niños **marchan** en la parada.
Los niños **llevan el mismo paso.**

---

mark(1)

Mary got a good **mark** on her test.
Mary got a good **grade** on her test.

nota

Maria sacó una buena **nota** en el examen.
Maria sacó una buena **calificación** en el examen.

mark(2)   Please don't **mark** the wall.
Please don't **write** on the wall.

desfigurar   Por favor, no **desfigures** la pared.
Por favor, no **escribas** en la pared.

---

market   We go to the **market** to buy things.

mercado   Vamos al **mercado** a comprar cosas.

---

marry   When a man and woman **marry,** they become husband and wife.
When I grow up I will **marry** someone.

casarse   Cuando un hombre y una mujer **se casan,** se convierten en marido y mujer.
Cuando yo crezca **me casaré** con alguien.

M

match(1)

Helen jumped five feet. Can you **match** that?
Helen jumped five feet. Can you **do the same?**

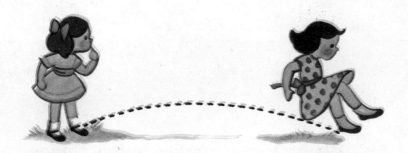

igualar

Elena brincó cinco pies. ¿Puedes **igualar** esto?
Elena brinćo cinco pies. ¿Puedes **hacer lo mismo?**

---

match(2)
matches

If you strike a **match** it will make a flame.
You should not play with **matches.**

fósforo

Si frota un **fósforo** saldrá una llama.
No debes brincar con **fósforos.**

master

Jim is the dog's **master.**
Jim is the dog's **owner.**

dueño

Jaime es el **dueño** del perro.
Jaime es el **propietario** del perro.

---

meal

Breakfast is a **meal.** Lunch is a **meal.**

comida

El desayuno es una **comida.**
El almuerzo es una **comida.**

---

mean(1)

means
meaning
meant
meant

What does this word **mean?**

significar

¿Qué **significa** esta palabra?

M

mean(2)
means
meaning
meant
meant

What do you **mean?**

pretender

¿Qué **pretendes?**

---

mean(3)

The boy is **mean.**
The boy is not **kind and pleasant.**

malhumorado (a)

El muchacho está **malhumorado.**
El muchacho **no es amable ni agradable.**

measure

We **measure** things to find out their size or weight or amount.

medir

Medimos las cosas para saber su tamaño, peso o cantidad.

---

meat

Meat is food that we get from animals.
A **steak** is **meat**. A **pork chop** is **meat**.

carne

La **carne** es un alimento que viene de los animales.
Un **bistec** es **carne**. Una **costilla de cerdo** es **carne**.

---

meet
meets
meeting
met
met

Ann and Mary will **meet** after school.
Ann and Mary will **get together**.

encontrarse

Ana y María **se encontrarán** después de la escuela.
Ana y María **se reunirán**.

M

melt

When the sun shines the ice will **melt**.
When the sun shines the ice will **turn back to water**.

derretir

Cuando el sol brille la nieve se **derretirá**.
Cuando el sol brille la nieve **se volverá agua**.

---

melon

A melon is good to eat.

melón

El **melón** es bueno de comer.

memorize

Did you **memorize** the song?
Did you **learn** the song **by heart?**
Can you sing the song without looking at the song book?

memorizar

¿**Memorizaste** la canción?
¿Te **aprendiste** la canción **de memoria?**
¿Puedes cantar la canción sin mirar el cancionero?

---

merry

The boys and girls are **merry.**
The boys and girls are **joyful and happy.**

alegre

Los niños y las niñas están **alegres.**
Los niños y las niñas están **alegres y felices.**

---

middle

There are two holes in the **middle** of the button.
There are two holes in the **center** of the button.

medio

Hay dos huecos en el **medio** de un botón.
Hay dos huecos en el **centro** de un botón.

M

milk

We drink **milk** to stay healthy.
Milk comes from cows.
I watched the farmer **milk** the cow.
The baby is drinking **milk.**

leche

Tomamos **leche** para estar saludables.
La **leche** viene de las vacas.
Yo observé como el campesino **ordeñaba** la vaca.
El bebé toma **leche.**

---

mind

Sue will **mind** the baby.

cuidar

Susana **cuidará** al nené.

---

mine(1)

This book is **mine.**
This book **belongs to me.**

mío (a)

Este libro es **mío.**
Este libro **me pertenece.**

mine(2)

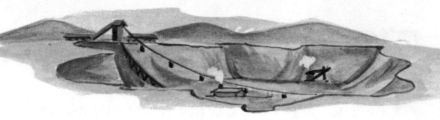

A **mine** is a large hole in the ground.
Men dig coal out of a **mine.**
Men dig gold ore out of a **mine.**

mina

Una **mina** es un gran hueco en la tierra.
Los hombres sacan carbón de la **mina.**
Los hombres sacan oro de la **mina.**

---

mistake

Jane made a **mistake** on her test.
Jane made an **error.** Jane answered the question
wrong but she did not mean to.

equivocación

Juana tuvo una **equivocación** en el examen.
Juana tuvo un **error** en el examen.
Juana contestó la pregunta equivocadamente
aunque ella no tenía la intención de hacerlo así.

---

mix

I watched my Mother **mix** the cake.
Oil and water do not **mix.**
Oil and water do not **blend together.**

mezclar

Observé a mi madre **mezclar** la torta.
El aceite y el agua no se **mezclan.**
El aceite y el agua no **se unen.**

M

money

We buy things with **money.**

dinero

Compramos cosas con **dinero.**

---

monkey

A **monkey** is an **animal** that lives in the jungle.
We see **monkeys** at the zoo.
This is a **monkey.**

mono

El **mono** es un **animal** que vive en la selva.
Vemos **monos** en el zoológico.
Este es un **mono.**

---

monstrous

The giant in the story was **monstrous.**
The giant in the story was **very large and ugly.**
The giant looked like a monster.

monstruoso (a)

El gigante de la historia era **monstruoso.**
El gigante de la historia era **muy grande y feo.**
El gigante parecía un monstruo.

moon
The **moon** shines at night.
The **moon** moves around our earth every 29½ days.

luna
La **luna** brilla de noche.
La **luna** gira alrededor de la tierra cada 29½ días.

---

more
much
more
most

Betty drank her milk but she wanted **more.**
She wanted **another** glass of milk.
Ann has **more** pencils than Jane.
Ann has a **greater number** of pencils.

más
Isabel se bebió la leche, pero quería **más.**
Ella queria **otro** vaso de leche.
Ana tiene **más** lápices que Juana.
Ana tiene una **mayor cantidad** de lápices.

---

mother
My **mother** is married to my father.
My **mother** takes care of me. I love my **mother.**

madre
Mi **madre** está casada con mi padre.
Mi **madre** me cuida. Yo amo a mi **madre.**

M

mountain

The **mountain** is a piece of land that is much higher than the land around it.
The **mountain** is larger than a hill.

montaña

La **montaña** es un pedazo de tierra mucho más alta que el terreno que la rodea.
La **montaña** es más alta que un cerro.

mouth

We eat and speak with our **mouth.**
The dog caught the ball with his **mouth.**

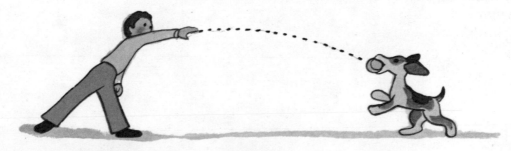

boca

Comemos y hablamos con la **boca.**
El perro cogió la pelota con la **boca.**

move

Please **move** your coat.
Please **put** your coat **in a different place.**
The truck will **move** soon.
The truck will **go to a different place** soon.

mover (se)

Por favor **mueva** tu chaqueta.
Por favor **pon** tu chaqueta en otro lugar.
El camión se **mueverá** pronto.
El camión **irá a otro sitio** pronto.

music

We love to hear **music.**
The beautiful sound the band makes is **music.**
We sing in **music** class.

música

Nos gusta oír **música.**
Los agradables sonidos de la orquesta se llaman
música.
Cantamos en la clase de **música.**

M

must

You **must** go to school today.
You **have to go** to school today.

deber

Debes ir a la escuela hoy.
Tienes que ir a la escuela hoy.

---

myself

I must take care of **myself.**
I don't go into the woods **by myself.**
I don't go into the woods **alone.**

mí mismo

Debo tener cuidado de **mí mismo.**
No voy al bosque por **mí mismo.**
No voy **solo** al bosque.

name

What is your **name?** What are you **called?**
The cat's **name** is **Tom.** We call the cat **Tom.**
The bird in the tree is a crow. **Crow** is the bird's **name.**

nombre

¿Cuál es tu **nombre?** ¿Cómo te **llamas?**
El **nombre** del gato es Tomás. Nosotros le **llamamos** Tomás al gato.
El pájaro que está en el árbol es un cuervo. **Cuervo** es el **nombre** del pájaro.

---

nap

The dog is taking a nap.

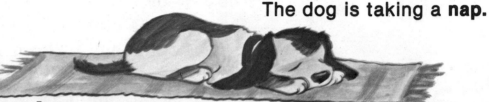

sueñecito

El perro está echando un **sueñecito.**

---

napkin

A **napkin** is a piece of cloth or paper.
A **napkin** protects our clothes when we eat.
We wipe our fingers and lips with a **napkin.**

servilleta

Una **servilleta** es un pedazo de tela o de papel.
La **servilleta** protege nuestras ropas cuando comemos.
Nos limpiamos los dedos y los labios con la **servilleta.**

---

narrate

The teacher asked Sally to **narrate** a story to the class.
The teacher asked Sally to **tell** a story to the class.
El maestro le pidió a Sara que le **narrara** un cuento a la clase.
El maestro le pidió a Sara que le **hiciera un cuento** a la clase.

narrar

N

narrow

The bridge we crossed was **narrow**.
The bridge we crossed was **not wide**.

estrecho (a)

El puente que nosotros cruzamos era **estrecho**.
El puente que nosotros cruzamos **no era ancho**.

---

near

The school is **near** Jane's house.
The school is **close** to Jane's house.
The school is **not far from** Jane's house.

cerca

La escuela está **cerca** de la casa de Juana.
La escuela está **proxima** a la casa de Juana.
La escuela **no está lejos de** la casa de Juana.

---

neat

You should keep your room **neat**.
You should keep your room **clean and in order**.

arreglado (a)

Debieras mantener tu cuarto **arreglado**.
Debieras mantener tu cuarto **limpio y en orden**.

---

neck

Father wears a tie around his **neck**.
The dog has a collar around his **neck**.
The **neck** is between the head and shoulders.

Mi padre usa una corbata alrededor del **cuello**.
El perro tiene un collar alrededor del **cuello**.
El **cuello** está entre la cabeza y los hombros.

cuello

need

I **need** a pencil to write a letter.
I **must have a** pencil to write a letter.
When it rains we **need** a raincoat.
When it rains we **should have** a raincoat.

necesita

Necesito un lápiz para escribir una carta.
Debo tener un lápiz para escribir una carta.
Cuando llueve **necesitamos** una capa de agua.
Debiéramos usar una capa de agua cuando llueva.

neighbor

John is Jack's **neighbor.**
John **lives next door** to Jack.

vecino

Juan es el **vecino** de Paco.
Juan **vive al lado** de Paco.

nest

The birds built a **nest** in the tree.
The bird lays eggs in the **nest.**
Soon the eggs will hatch and baby birds will live in the **nest.**

nido

Los pájaros construyeron un **nido** en el árbol.
El pájaro pone huevos en el **nido.**
Los pajaritos pronto saldrán de los huevos y vivirán en el **nido.**

net

John caught a fish with the **net.**
The **net** is made of string.
Water runs through the **net** but the fish cannot get out.

red

Juan cogió un pez con la **red.**
La **red** está hecha de cordel.
El agua corre a través de la **red** pero el pez no puede salir.

N

never

Jane can **never** run fast as Jim.

nunca

Juana **nunca** puede correr tan rápido como Jaime.

---

new

Tom's coat is **new**.
Tom's coat is **not old**.
Mother has a **new** hair style.
Mother has a **different** hair style.

nuevo (a)

La chaqueta de Tomás es **nueva**.
La chaqueta de Tomás **no es vieja**.
Mi madre tiene un estilo de peinado **nuevo**.
Mi madre tiene un peinado **diferente**.

---

next

The baby sleeps **next** to the teddy bear.
The baby sleeps **beside** the teddy bear.
The boy **next** to Tom is Sam.
The boy **nearest** Tom is Sam.

El bebé duerme **próximo** a su osito de peluche.
El bebé duerme **al lado de** su osito de peluche.
El muchacho **próximo** a Tomás es Samuel.
El muchacho **más cerca** de Tomás es Samuel.

próximo

nice
nicer
nicest

Mary is very **nice.**

agradable

María es muy **agradable.**

---

nine

We have **nine** players on our baseball team.
When we count to **nine** we say: 1 2 3 4 5 6 7 8 9.

nueve

Nuestro equipo de béisbol tiene **nueve** jugadores.
Cuando contamos hasta **nueve** decimos:
1-2-3-4-5-6-7-8-9

---

nod

When the baby is sleepy her head will **nod.**
When the baby is sleepy her head will **bow.**
Her head will move **up and down.**

cabecear

El bebé **cabecea** cuando tiene sueño.
El bebé **dejará caer** la cabeza cuando tenga
sueño.
Su cabeza se moverá **hacia abajo y hacia arriba.**

N

noise

A loud **noise** will wake the baby.
A loud **sound** will wake the baby.

ruido

Un **ruido** alto despertará a la nena.
Un **sonido** alto despertará la nena.

---

none

The children looked for seashells. There were **none.**

ninguno (a)

Los niños buscaban conchas en la playa.
No había **ninguna.**

---

noon

Noon is **12 o'clock in the daytime.**

mediodía

El **mediodía** son las **doce en punto del día.**

north

The birds are flying **north.**
The birds are flying toward the **top part of our earth.**
The top part of a map is **north.**

norte

Las aves van volando hacia el **norte.**
Las aves están volando hacia la **parte superior de la tierra.**
La parte superior del mapa es el **norte.**

---

note

Jane wrote Mary a **note.**
Jane wrote Mary a **short letter.**
Bill made a **note** of which books he would like.
Bill **wrote down** which books he would like.

nota

Juana le escribió una **nota** a María.
Juana le escribió una **carta corta** a Maria.
Guillermo hizo una **nota** de los libros que a él le gustarían.
Guillermo **anotó** los libros que a él le gustarían.

---

nothing

There is **nothing** left on my plate.
There is **not a thing left** on my plate.

nada

No ha quedado **nada** en mi plato.
No ha quedado ni un pedacito en mi plato.

N

notice

Did you **notice** Mary's new dress?
Did you **see** Mary's new dress?

notar

¿Has **notado** el vestido nuevo de María?
¿Viste el vestido nuevo de María?

---

nourish

To **nourish** is to **feed**.
We must **nourish** our body to stay healthy and grow.
We must **feed** our body to stay healthy and grow.

alimentar

Alimentar es **dar de comer.**
Debemos **alimentar** nuestro cuerpo para mantenernos sanos y poder crecer.

---

now

The sun is shining **now.**
The sun is shining **at this time.**

ahora

El sol está brillando **ahora.**
El sol está brillando **en este momento.**

number

A **number** tells us **how many** there is of something.
I am **six** years old.
Six is the **number** of years I have lived.
Each **number** has a name.
When we count from 1 to 10 we say: one, two, three, four, five, six, seven, eight, nine, ten.

número

El **número** nos dice **cuanto** hay en algo.
Tengo **seis** años.
Seis es el **número** de años que tengo de vida.
Cada **número** tiene un nombre.
Cuando contamos del uno al diez decimos: uno, dos, tres, cuatro, cinco, seis, siete, ocho, nueve, diez.

nurse

A **nurse** takes care of sick people.
A **nurse** also takes care of children and older people.

enfermera

La **enfermera** cuida de los enfermos.
La **enfermera** también cuida de niños y personas mayores.

nut

A **nut** is the seed of a tree or plant.
A **nut** has a shell.
Some **nuts** are good to eat.
Walnuts, pecans and acorns are **nuts.**

nuez

Una **nuez** es la semilla de un árbol o de una planta.
Una **nuez** tiene cáscara.
Algunas **nueces** son buenas de comer.
Las avellanas, las pacanas y las bellotas son **nueces.**

O

oak

Oak is the name of one kind of **tree**.
Acorns grow on **oak** trees.

roble

El **roble** es el nombre de una clase de árbol.
La bellota nace del **roble.**

---

oats

The farmer grows **oats** in a field.
The grains from **oats** are used to make
different kinds of food.

avena

El campesino cosecha **avena** en el campo.
El grano de la **avena** se usa para hacer diferentes
clases de alimentos.

---

obey

John taught the dog to **obey** him.
The dog **does what he is told to do.**

obedecer

Juan le enseñó a su perro a que lo **obedezca.**
El perro **hace lo que le dicen.**

object(1)

Anything that you can see or touch is an **object**.
A pencil is an **object**.
A piece of paper is an **object**.

objeto

Todo lo que podemos ver o tocar es un **objeto**.
Un lápiz es un **objeto**.
Un pedazo de papel es un **objeto**.

---

object(2)

Would you **object** if the dog came with us?

oponerse

¿Te **opondrías** si el perro nos acompañara?

---

oblong

When something is longer than it is wide we say it is **oblong**.
The shape of a loaf of bread is **oblong**.
The loaf of bread is **long and not wide**.

oblongo (a)

Cuando algo es más largo que ancho decimos que es **oblongo**.
La forma de una hogaza de pan es **oblonga**.
La hogaza de pan es **larga y no ancha**.

O

ocean

The **ocean** is the large body of salty water that covers more than two-thirds of our earth.
The **ocean** is divided into five great oceans.
The names are Pacific, Atlantic, Indian, Arctic and Antarctic.

océano

El **océano** es una gran extensión de agua salada que cubre más de las dos terceras partes de nuestra tierra.
El **océano** se divide en cinco grandes océanos.
Sus nombres son: el Pacífico, el Atlántico, el Indico, el Artico y el Antártico.

---

odd(1)

I have one **odd** sock.
I have **one** sock **left over**.

sobrante

Tengo un calcetín **sobrante**.
Tengo un calcetín **sin pareja**.

---

odd(2)

I believe the story, but is sounds **odd**.
I believe the story, but it sounds **strange**.

raro (a)

Creo el cuento pero me luce **raro**.
Creo el cuento pero me luce **extraño**.

off

The car is **off** the road.
The car is **not on** the road.

fuera

El automóvil está **fuera** de la carretera.
El automóvil **no está en** la carretera.

---

office

An office is **a room where people work.**
Mother has a desk in her **office.**

oficina

Una oficina es el **lugar donde la gente trabaja.**
Mi madre tiene un escritorio en su **oficina.**

---

often

Jane will play the piano **often.**
Jane will play the piano **many times.**

a menudo

Juana va a tocar el piano **a menudo.**
Juana va a tocar el piano **muchas veces.**

O

old

The man is **old**. The man is **not young**.
My bike is **old**.
My bike is **not new**.

viejo (a)

El hombre es **viejo**.
El hombre **no es joven**.
La bicicleta es **vieja**.
Mi bicicleta **no es nueva**.

---

once

Mary was late for school only **once**.

una vez

María llegó tarde a la escuela solamente **una vez**.

---

one

There is **one** apple left.
There is a **single** apple left.
There were two apples but Bill ate **one**.
One should brush his teeth every day.
A person should brush his teeth every day.

Sobra **una** manzana.
Queda **una sola** manzana.
Habían dos manzanas pero Guillermo se comió **una**.
Uno debe lavarse los dientes todos los días.
Una persona debe lavarse los dientes todos los días.

uno (a)

only(1)

Mary has **only** one pencil.
Mary has **just** one pencil.

solamente

María tiene **solamente** un lápiz.
María tiene **solo** un lápiz.

---

only(2)

This is the **only** school in town.
There is **no other** school in town.

único (a)

Esta es la **única** escuela en la ciudad.
No hay otra escuela en la ciudad.

---

open

The window is **open.**
The window is **not closed.**
The door is **open.**

abierto (a)

La ventana está **abierta.**
La ventana **no está cerrada.**
La puerta está **abierta.**

O

order
órden

Do you have your room in **order**?
Do you have **everything in the right place**?
The captain gave the soldiers an **order**.
The captain **told** the soldiers **what they had to do**.

¿Tienes el cuarto **en orden**?
¿Lo tienes **todo en su lugar**?
El capitán le dio una **orden** a los soldados.
El capitán le dijo a los soldados **lo que tenían que hacer**.

---

organ

The **organ** makes beautiful music.
We have an **organ** at church.
Different parts of our body are called **organs**.
Our **heart** is an **organ**. Our **liver** is an **organ**.

órgano

El **órgano** suena bonito.
Tenemos un **órgano** en la iglesia.
Las diferentes partes de nuestro cuerpo se llaman **órganos**.
Nuestro corazón es un **órgano**.
Nuestro hígado es un **órgano**.

---

orangutan

The **orangutan** is a large ape.
The **orangutan** lives in the jungle.

orangután

El **orangután** es un mono grande.
El **orangután** vive en la selva.

other

Are there any **other** children coming to your party?
Are there any **more** children coming to your party?
The **other** children will be late.
All the rest of the children will be late.
I will ride the **other** bus home.
I will ride a **different** bus home.

otro (a)

¿Hay **otros** niños que vienen a tu fiesta?
¿Hay **más** niños que vienen a tu fiesta?
Los **otros** niños llegarán tarde.
El **resto** de los niños llegará tarde.
Tomaremos el **otro** omnibus para ir a la casa.
Tomaremos un omnibus **diferente** para ir a casa.

---

our

This is **our** house. It **belongs to us.**

nuestro (a)

Este es **nuestra** casa.
Esta casa **nos pertenece.**

---

out(1)

Jane took her gift **out** of the box.
Jane **took it from inside** the box.
My parents went **out** tonight.
My parents went **away** from the house.

fuera

Juana sacó el regalo **fuera** de la caja.
Juana **lo tomó de** la caja.
Mis padres están **fuera** de la casa esta noche.
Mis padres **salieron de** la casa.

O

out(2)
apagado (a)

The light is out. The light is not turned on.

La luz está **apagada**.
La luz **no está prendida**.

---

oven

We baked a cake in the **oven**.
The **oven** is inside the stove.

horno

Horneamos una torta en el **horno**.
El **horno** está dentro de la estufa.

---

over(1)
terminado (a)

When will the play be over?

¿Cuándo estará **terminado** el espectáculo?

over(2)

John jumped **over** the fence.
John jumped **across** the fence.
Mary is holding the umbrella **over** her head.
Mary is holding the umbrella **above** her head.

encima

Juan brincó por **encima** de la cerca.
Juan brincó **a través** de la cerca.
María sostiene la sombrilla **encima** de su cabeza.
María sostiene la sombrilla **por arriba de** su cabeza.

---

over(3)

I must do my homework **over.**
I must do my homework **again.**

rehacer

Debo **rehacer** mi tarea.
Debo hacer mi tarea **otra vez.**

---

over(4)

Jane jumped **over** twenty times.

más que

Juana brincó **más** de veinte veces.

O

owe

I **owe** Bill money.
I am **in debt** to Bill.

deber

Le **debo** dinero a Guillermo.
Estoy **en deuda** con Guillermo.

---

owl

The **owl** is a bird.
The **owl** has big eyes.

The **owl** sleeps during the day and looks for food at night.

lechuza

La **lechuza** es un ave.
La **lechuza** tiene ojos grandes.
La **lechuza** duerme por el día y busca alimentos por la noche.

---

own

I **own** two dogs and one cat.
I **have** two dogs and one cat.

poseer

Poseo dos perros y un gato.
Tengo dos perros y un gato.

pack   We **pack** our clothes when we take a trip.
We **put together** our clothes when we take a trip.

empaquetar

Empaquetamos nuestras ropas cuando viajamos.
Ponemos juntas nuestras ropas cuando hacemos el viaje.

---

package   The postman brought Linda a **package.**
The postman brought Linda a **box wrapped in paper.**

paquete   El cartero le entregó a Linda un **paquete.**
El cartero le entregó a Linda **una caja envuelta.**

---

pad

I write on a **pad** of paper.

bloc   Escribo en un **bloc** de papel.

P

page

Each piece of paper in this book is a **page**.
Each **page** has a number in the lower corner.
Which **page** are you reading?

página

Cada hoja de papel en este libro es una **página**.
Cada **página** tiene un número en la esquina inferior.
¿Qué **página** estás leyendo?

---

pail

Mary filled the **pail** with water.
Mary filled the **bucket** with water.

cubo

María llenó el **cubo** de agua.
María llenó el **balde** de agua.

---

pain

Tom has a **pain** in his head.
His head **hurts**.
Tom has a **headache.**

Tomás tiene un **dolor** en la cabeza.
Le **duele** la cabeza.
Tomás tiene **dolor de cabeza.**

dolor

paint

Jack will **paint** his clubhouse green.
Jack will **color** his clubhouse with green **paint.**
I like to **paint** pictures.
I use many colors of **paint.**

pintar

Juan **pintará** su casa club de verde.
Juan **coloreará** su casa club con **pintura** verde.
Me gusta **pintar** cuadros.
Uso **pintura** de muchos colores.

---

pair

A **pair** means **two of a kind.**
Jane has a **pair** of skates.
I am wearing a **pair** of shoes.

par

Un **par** significa **dos de la misma especie.**
Juana tiene un **par** de patines.
Estoy usando un **par** de zapatos.

---

palace

A **palace** is a **large and beautiful house.**
The king and queen lived in a **palace.**

palacio

El **palacio** es una **casa grande y hermosa.**
El rey y la reina viven en un **palacio.**

P

pale
paler
palest

Your face is **pale.** Are you sick?

pálido (a)

Tu cara está **pálida.** ¿Estás enfermo?

---

palm

Palm trees grow in places where the weather is warm.
The inside of your hand is called the **palm.**

palma

La **palma** crece en lugares donde el clima es cálido.
La parte interior de la mano se llama la **palma.**

---

pan

Mother fries eggs in a **pan.**
This is a **pan.**

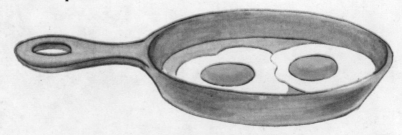

sartén

Mamá fríe huevos en un **sartén.**
Este es un **sartén.**